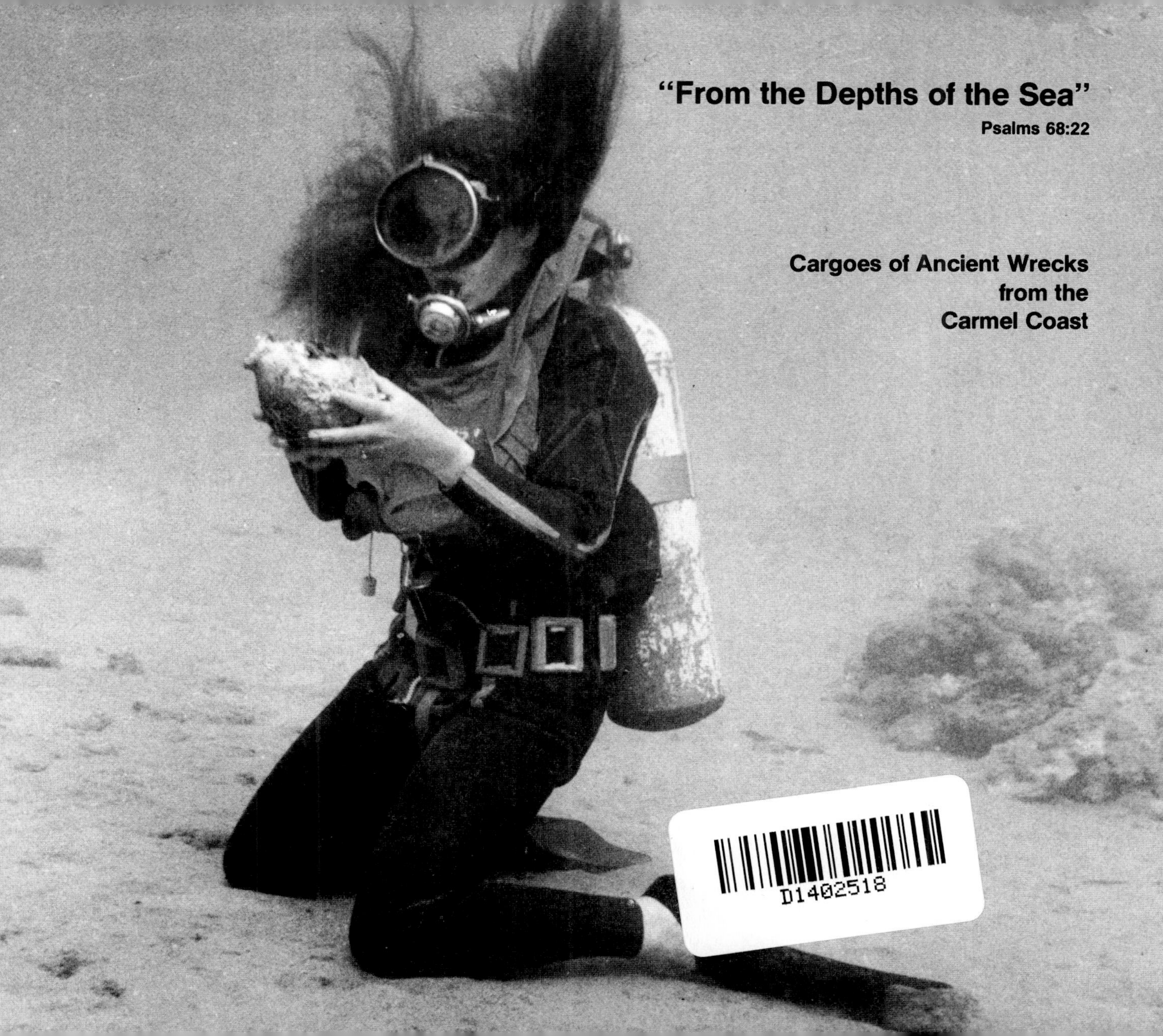

"From the Depths of the Sea"

Psalms 68:22

Cargoes of Ancient Wrecks from the Carmel Coast

The treatment of the objects in the Museum laboratories, the exhibition and the catalogue were made possible by courtesy of the American Express Foundation, Mr. Eugene M. Grant and Co., Mr. Martin Horowitz, Mr. Curtis Katz and Mrs. Rachel Skolkin.

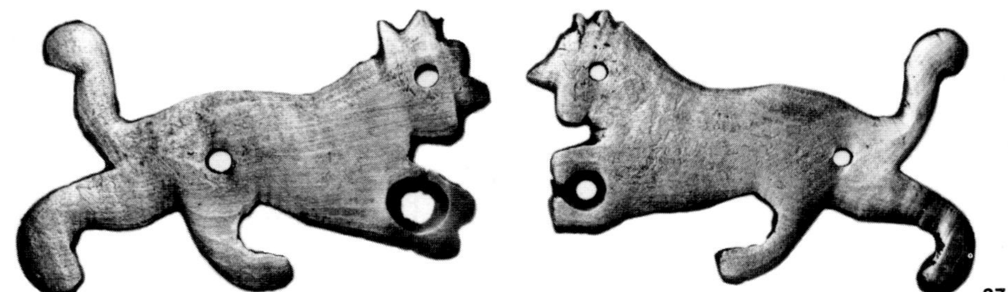

37.3

The excavations were sponsored by the Israel Department of Antiquities and Museums, in cooperation with the Department of the History of Maritime Civilizations at Haifa University.

The expedition included Shelley Wachsmann, Ehud Galili, Kurt Raveh and Nisim Shmueli.

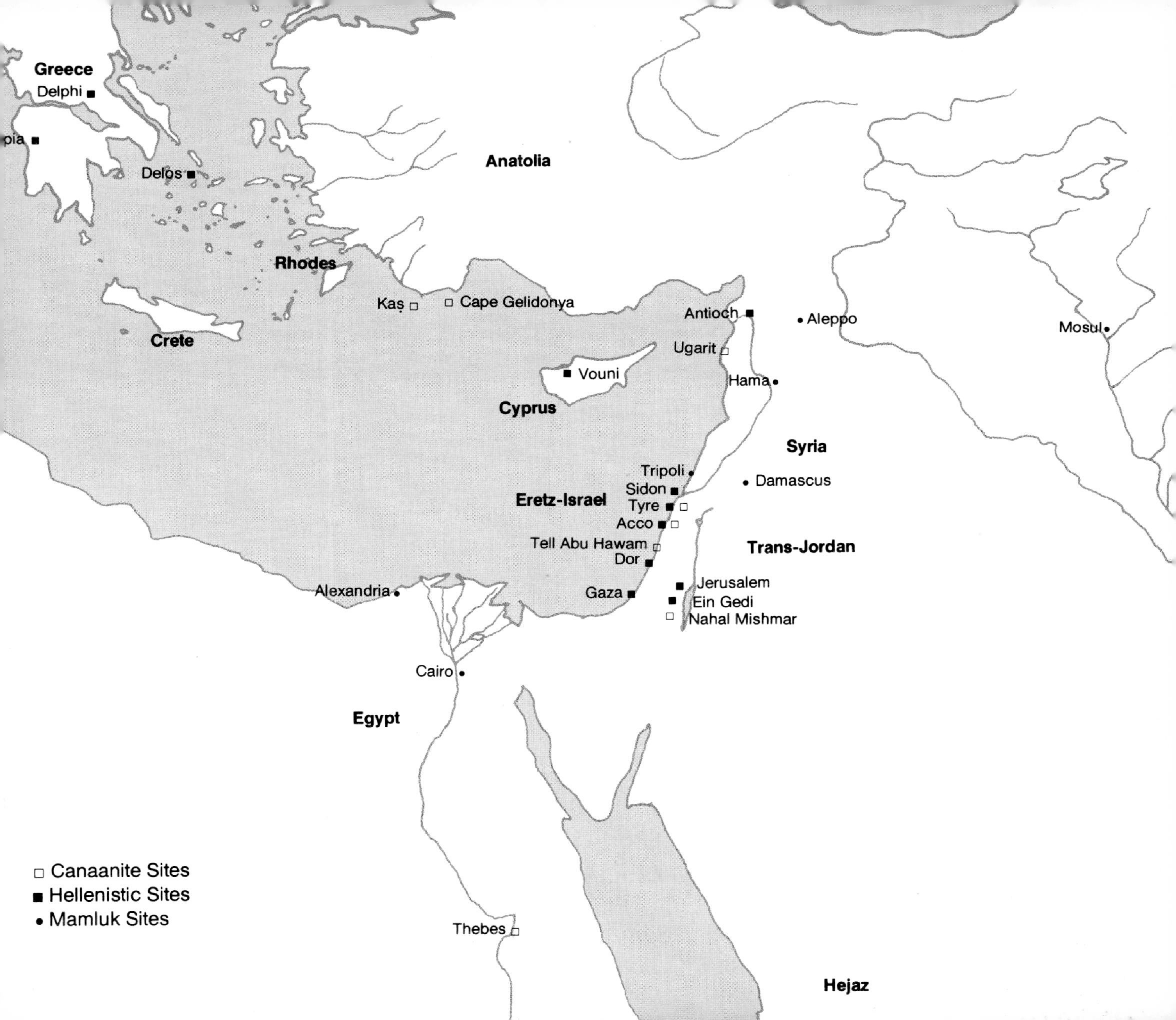
Greece
Delphi
pia
Delos
Anatolia
Rhodes
Crete
Kaş
Cape Gelidonya
Antioch
Aleppo
Mosul
Ugarit
Vouni
Hama
Cyprus
Syria
Tripoli
Damascus
Sidon
Eretz-Israel
Tyre
Acco
Tell Abu Hawam
Trans-Jordan
Dor
Jerusalem
Alexandria
Gaza
Ein Gedi
Nahal Mishmar
Cairo
Egypt
Canaanite Sites
Hellenistic Sites
Mamluk Sites
Thebes
Hejaz

Underwater archaeology, which reveals ancient treasures sunk in the sea, complements the knowledge gained from land excavations. The development of this science in recent years has led, in this country, to an increase in the number of underwater excavations, and these in turn have yielded new and exciting finds from the sea. With the important discoveries made off the Mediterranean coast between Athlit and Haifa, the need arose to present to the public the abundant and varied material brought up by these excavations, and at the same time to trace the development of underwater archaeology as an independent discipline.
In this exhibition, we have chosen to display the cargoes of several wrecked ships, all of which comprised mostly metal artifacts: from the Canaanite period (14th–13th century BCE)—ingots destined for the manufacture of objects; from the Mamluk period (15th century CE)—bronze objects destined for use; from the Hellenistic period (4th–2nd century BCE)—objects no longer in use and constituting scrap metal destined to be melted down. The total quantity of metal in these cargoes is enormous, and especially so in relation to metal artifacts unearthed in land excavations, which are scarce due to the intensive and continuous process of recycling the costly metals. Thus the metal objects exhibited are important not only because they offer an insight into life of the merchants and their trade relations, but also because they present a range of artifacts which could not have been preserved on land.
The Israel Museum wishes to express its gratitude to all the institutions and persons who facilitated this exhibition, the first to display objects recovered from the sea. The "Rockefeller" Museum, which was the first museum to exhibit the antiquities of our country, is an especially suitable setting.

Yael Israeli
Chief Curator

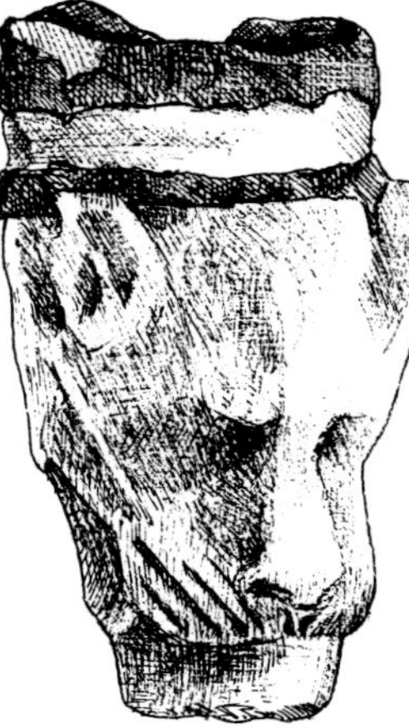

Lion-head fountain, Hellenistic period

We are grateful to the archaeologists Shelley Wachsmann, Kurt Raveh and Ehud Galili for making their material available for the exhibition and catalogue before its official publication, and for their assistance during all phases of the work.
We are also endebted to the Maritime Museum, Haifa, for allowing us to exhibit objects from their collections; to Professor Avraham Eran, to Dr. Gideon Foerster and Ariel Berman, for their help in writing the text; to the staff of the Israel Museum chemistry laboratory: Rachel Baharad, Yael Kaplan and Marina Rassovsky, and to Orna Cohen of the chemistry laboratory of the Institute of Archaeology at the Hebrew University, for the excellent treatment and the care accorded the cleaning and preservation of the objects.
Ayala Bigelaazen and Larissa Rosenstock, Gabriela Glücksmann, Lin Kelm, Avraham Levy and A. Spaer made useful comments and offered invaluable advice.
And last but not least, I thank my colleagues in the Bronfman Biblical and Archaeological Museum for their help and encouragement throughout.

Osnat Misch-Brandl
Curator of the Exhibition

All measurements are in centimetres. H=Height; L=Length; W=Width; D=Diameter; Th=Thickness.

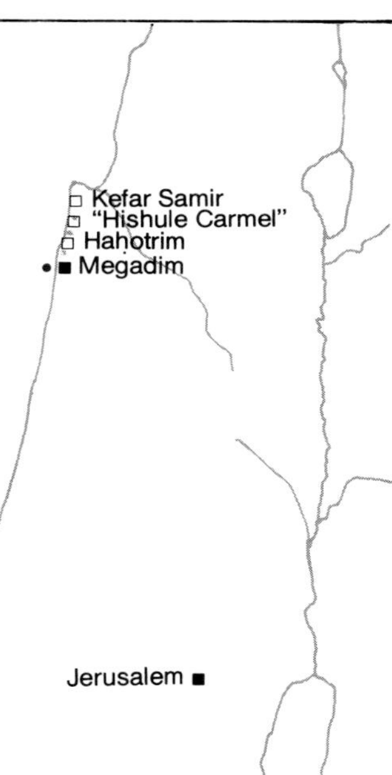

Map of excavation sites

Exploring the Deep

For five thousand years, the 600 km long Syro-Palestinian coast has served as an active sea route, probably the busiest sealane in the Mediterranean. It is no wonder, then, that remains of sunken ships, wrecked by storms or by the hand of man, have been discovered along its entire stretch. In many periods, this sea route was the most important, and sometimes the only link between the various coastal cities and between them and the maritime countries to the west. The ports on this coast served as waystations for the transfer of goods inland and also as ports for loading and unloading cargoes too heavy for overland transport. It is likely that in times of prosperity such as the Late Bronze Age or the Hellenistic-Roman period, various ships plied this sealane on their way south from Syria or north from Egypt to Greece and Rome, including sizeable merchantmen carrying cargoes of many kinds, accompanied by a large fleet of small ships and boats which were part of the local trading and transportation system.

The Mediterranean is known to be a stormy, treacherous sea, and the coastline of Eretz-Israel is not indented. Thus, when ships were caught in a storm and did not succeed in finding shelter, they were wrecked near the coast by heavy waves breaking up to 200m from the shore. In view of the large number of ships travelling along the coast and the high percentage of ships wrecked, it can be estimated that on the average remains of wrecks lie under the sea roughly every 100 m. The coastal waters of this country are a kind of vast graveyard of ancient ships.The wooden parts and most of the freight generally would have been washed up on the coast and lost. The heavier cargo, and especially metal and stone objects as well as the anchors, sank and came to rest on a hard layer, immovable and covered with sand during the millennia, until sea-currents or the work of underwater archaeologists swept away the shroud of sand.

In recent decades the amount of sand piling up on the coast has gradually decreased because of a number of ecological factors and the sand excavated on the seashore for building purposes. This has caused objects resting on the seabed to be exposed.

One of the important advantages of excavating artifacts underwater is their good state of preservation, caused by the protective covering of sand and mud which soon envelops them on the clay sea bottom. Moreover, decay and oxidation are slight underwater, because of the lack of free oxygen. Thus, objects made of perishable materials have survived only because they lay under water. The wooden inlay on the sword (No. 4), which is extremely well preserved, is a case in point. The oxidation process of metal objects is also much slower under water than on land.

Underwater archaeology is a new science. Until the fifties, attempts to bring up antiquities from the sea amounted to little more than looting, chiefly for the purpose of selling the objects. The turning point in archaeological underwater research came towards the end of World War II, when diving equipment enabling divers to stay submerged for long periods was developed for military purposes. Jacques Cousteau, explorer of the deep, was the first to develop instruments for locating and recording objects, such as the air-lift, which is a tool for excavating under water, as well as methods of underwater photography. The first underwater excavation by an archaeologist-diver was undertaken in 1960 by George Bass, who discovered the remains of a wooden ship dating from the end of the Late Bronze Age which had sunk near Cape Gelidonya in southern Turkey. Since then, underwater archaeology has become an independent science, existing side by side with land archaeology.

The development of new instruments and efficient working methods has brought about a change. Today it is possible to locate, excavate and study underwater sites. Hundreds of shipwrecks uncovered in recent years have contributed significantly to the study of ancient ship-building, seamanship and naval warfare, as well as of ancient port installations, and to a better understanding of trade and trade routes of maritime countries in antiquity.
Underwater sites offer the archaeologist the possibility of studying ships and their cargoes, as well as settlements and port installations which have been covered by the sea. His work is mainly concerned with what is left of the wreck and its contents after maritime disasters. Unlike ancient artifacts uncovered on land, these objects have not been touched since they sank to the bottom of the sea. The last date when the objects were in use is the day when the ship sank. The wrecked ship and its cargo may be seen as a microcosm suddenly arrested and remaining under the sea as if suspended in time until the underwater archaeologist comes to recover it.

Techniques in underwater archaeology

a) **Underwater surveys:** Such surveys are carried out by divers and can be divided into three types, according to depth, visibility and nature of the seabed. The survey is carried out by a group of divers who advance in a row, examining the area systematically with the aid of a rope and a compass. Two kinds of instruments assist the underwater archaeologist in his work: electronic instruments used by the diver, including submarine vehicles making possible the surveying of extensive areas at a great depth and in a comparatively short time, as well as metal detectors dragged along the sea-bottom by a ship.

b) **Excavation and documentation:** The underwater excavation site has to be marked and mapped. The quickest method is laying down a base line by means of a rope marked off in metres whose ends are tied to buoys at pertinent points. The location of every object is then plotted in relation to the base line. The grid method is more thorough. According to this method a grid of metal or plastic pipes is laid down over the entire site, creating 2 x 2 m squares, which can also serve as a base for a photo tower. Such a tower, with a camera at the top, is mounted over every square when the excavation is completed. Every find is labelled with a numbered tag attached by means of a thin rope, and each square is described and recorded in detail. The sand, mud and stones are sucked from the site by means of an air-lift and discharged through a tube. A high-pressure water jet activated by a pump on a ship or on shore is used to remove a thin layer of sand. For raising heavy objects divers use liftbags filled with air. The object is tied to the bag which is filled with air causing it to float to the surface of the sea. Sometimes the site is covered with rocks or a thick layer of hard concretions which can only be removed with hammer and chisel. These are some of the methods used in underwater archaeology. On the whole, the vast expanses of the sea have not yet been investigated and underwater archaeology has just made a start. Every year improved methods and instruments enable man to penetrate further into the deep. In future, more and better preserved remains of wrecked ships will certainly be recovered from greater depths than are brought to light today from shallow waters.

Osnat Misch-Brandl and Ehud Galili

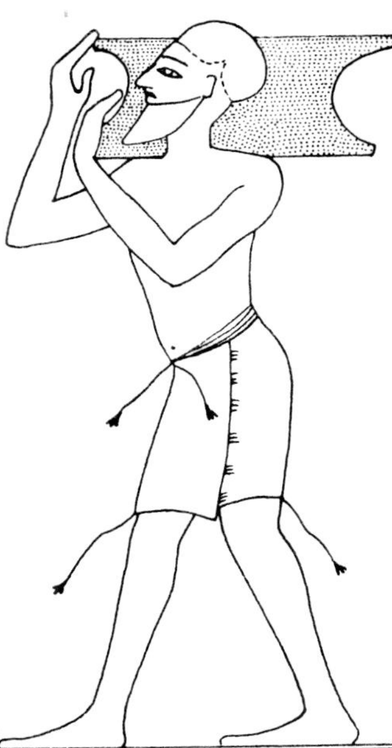

an carrying an "ox-hide" ingot on his oulders, from a wall-painting in a bleman's tomb, Thebes

Finds from the Late Canaanite (Bronze) period

14th–13th century BCE

The countries of the Eastern Mediterranean enjoyed in this period widespread trade relations, as documented both by Egyptian and Canaanite inscriptions and by the archeological evidence. Metals formed a substantial part of this trade and therefore ingots and the ingot trade take pride of place in this exhibition.

Unlike deposits such as clay, mines of metallic ores were scarce and were concentrated in a few areas. Ancient metallurgy was always dependent on the development of trade routes and of means of transportation, both of the metals and of their end-products.The methods of extracting the metal from the ore, working it and manufacturing objects were highly complex and required several stages between the raw material and the finished product, involving many craftsmen.

Since metal vessels were more costly and less breakable than pottery vessels, they were less subject to changes in local fashions and styles, and cannot therefore serve as chronological indicators, like ceramics. However, the discovery of metal artifacts in various areas throws light on ancient trade routes and helps to trace the paths along which ideas travelled from region to region.

For reasons of convenient transportation the ore was cast in ingots shaped like "tongues", "buns", "loaves" or "oxhides". The form of the ingot depended on its place of manufacture and whether it was destined for the immediate production of artifacts or for trade purposes. Some of the small ingots were probably recast from a larger ingot for easier handling.

The exhibition displays for the first time a very large collection of metal ingots which were recovered from the sea in a 3 km long section between Kibbutz Haḥotrim in the south and Kefar Samir in the north. Three assemblages of ingots and similar metal objects, found at a distance of 50–100 m from the coast, date from the Late Bronze Age. The composition of these assemblages and the way they were dispersed along the coast suggest the possibility that they may have originated in three ships of the same period. The fact that these cargoes were found at relatively short distances from each other does not speak against this suggestion, since numerous ships plied this route in antiquity. Alternatively, the three assemblages could have originated in a single ship which for some reason or other had to jettison part of its heavy cargo, and the similarity of all three assemblages supports this assumption.

The Book of Jonah describes such a situation: "But the Lord sent out a great wind into the sea, and there was a mighty tempest in the sea, so that the ship was like to be broken. Then the mariners were afraid and cried every man unto his god, and cast forth the wares that were in the ship into the sea, to lighten it of them ..." (Jonah 4:4, 5). However, the proximity of the finds to the coast makes such an assumption difficult to accept, since a ship would approach a coast lacking any shelter only if swept along by a storm. In such a situation, the seamen would have no time to throw anything overboard and their only desire would be to save their lives.

The southernmost of the three assemblages was discovered in 1980, opposite the northern boundary of Kibbutz Haḥotrim. The objects were scattered on the seabed and were temporarily revealed by the currents of the sea. This asemblage consisted of lead ingots, fragments of lead and copper ingots, broken horse-bits and a hoe. Two large stone anchors discovered nearby may well have belonged to the ship carrying this cargo.

A second cargo of ingots was discovered in the winter of 1982 during an underwater survey of the "Ḥishule Carmel" coast about 100 m from the coastline at a depth of 3–4m. During most of the year the site is covered with sand and is only very rarely exposed. The survey team located tin and copper ingots scattered on a clay bedding over an area of 8 sq m, apparently fixed in place for a long time. The absence of marine accretions indicates that the ingots had previously never been exposed.

Following this discovery, an underwater salvage excavation was undertaken at the site. An area of 6 sq m was exposed and with the help of an airlift four anchors of soft limestone each weighing about 250 kg, were also uncovered, lying in a row at a distance of no more than 2 m from each other. However, it is not certain that these anchors belonged to the ship carrying the ingots.

The remains of the third, northernmost cargo came to light intermittently opposite Kefar Samir over a period of about eight years, thus emphasizing the importance of underwater surveys. They were found at a distance of about 100 m from the coast over an area of 50 sq m and at a depth of about 3 m. The assemblage consisted of tin and lead ingots, a sickle sword and anchors.

Osnat Misch-Brandl, Ehud Galili and Shelley Wachsmann

The ingots

The ingots recovered from the sea were of three kinds—lead, copper and tin. The presence of such ingots on the coast of Eretz-Israel indicates the passage of ships engaged in the metal trade, travelling perhaps to Tyre, Akko and Tell Abu Hawam near Haifa. Who were the merchants who traded in metal? Almost certainly at least part of the trade in this period was in the hands of private entrepreneurs who owned the ships. They navigated from port to port, buying and selling metals wherever possible.

Cypro-Minoan (?) characters are incised on many of the lead and tin ingots and apparently also on the copper ingot. This script was used in Cyprus in the 14th–13th century BCE and is also known from Ugarit on the Syrian coast. The prevalence of this script appears to point to Cyprus as a transit station and a commercial and administrative centre for the metal trade, and Ugarit may have been another such centre. It is not clear whether the Cypro-Minoan signs indicate ownership or the value of the ingots, but obviously they had a function in the metal trade, whether private or organized by the state.

Lead

Lead has a low melting point (327°centigrade) and was therefore considered an easily worked raw material, either by itself or as an additive to other metals. Lead served for the manufacture of small objects ever since the Neolithic period. Geological tests as well as descriptions in ancient literature indicate that lead mines existed only in Greece, Crete and Anatolia. The scarcity of lead mines in antiquity and the consequent necessity to import lead, sometimes over great distances, resulted in its significant increase in value. Lead was mainly used as an additive to copper and bronze, while in its pure form it served to refine silver and perhaps even gold, and to produce various objects, such as pipes, weights, roof covering and sculpture models.

tal ingots and their melting, from a
l-painting in a nobleman's
b, Thebes

1. Lead ingots

1.1 Round bun ingot
Convex on one side, with a Cypro-Minoan sign (?) ᛘ, incised after casting, flat on the other.
Haḥotrim coast. D 13.5–15.5 Th 1.0–1.5
Weight 995 gr

1.2 Cut ingot
The ingot is cut lengthwise and has a hole in the centre produced at the time of casting and perhaps intended to carry the ingot on a pole.
Haḥotrim coast. L 12.5 W 5.2–7.8 Th 1.5
Weight 803.4 gr

1.3 Rectangular ingot
Perforated in upper part. An additional piece of lead was cast on to the upper part of the ingot.
Kefar Samir coast. L 11.5 W 8.5 Th 1.5
Weight 1.220 kg

1.4 Rectangular ingot
Perforated in upper part. Cypro-Minoan (?) sign ᛘ incised after casting.
Kefar Samir coast. L 12 W 7 Th 1
Weight 680 gr

1.5 Rectangular ingot
Perforated in upper part. Part of the metal was poured outside the mould, probably accidentally. Cypro-Minoan (?) sign + incised after casting.
Kefar Samir coast. L 13.5 W 7.5 Th 1.8
Weight 1.484 kg

1.6 Round bun ingot
Upper part perforated. Convex on one side, with Cypro-Minoan (?) sign ᛘ, other side flat.
Kefar Samir coast. D 14–16 Th 0.8–4.0
Weight 3.380 kg

1.7 Round bun ingot
Upper part perforated. Convex on one side, with Cypro-Minoan(?) sign + incised after casting, other side flat.
Kefar Samir coast. D 18–20 Th 0.7–6.0
Weight 6.938 kg

Copper
Copper was the first metal used by man as far back as the ninth millennium BCE, when native copper from surface deposits was utilized. Copper extracted from mined ores, whose melting point is 1083°centigrade, and copper alloys first appear in the fourth millennium BCE. Important evidence of this is furnished by the copper artifacts in the treasure from Naḥal Mishmar in the Judean desert.

2 Ingot of the "oxhide" type
A horse shoe-shaped sign ⊖ was added at the time of casting.
The shape of this ingot, which recalls a stretched oxhide, was the characteristic shape of the copper ingots in the Late Bronze Age, and was probably dictated by considerations of convenience when carrying the heavy ingot. After casting, the copper ingot was transferred from the mining area to a manufacturing centre, where it was melted together with tin to produce a bronze ingot.
"Oxhide" ingots have been found all over the Mediterranean basin — in Cyprus, Crete, Syria and Anatolia. Dozens of such ingots were discovered at Cape Gelidonia and in a ship's cargo near Kaş, both off the south coast of modern Turkey. Such ingots are also represented on wall paintings in the tombs of nobles at Thebes.
"Ḥishule Carmel" coast. L 65 W 36
Th 3 Weight 16.5 kg

Tin

The adding of up to 10% tin to copper in order to produce a bronze alloy began in the early second millennium BCE, and bronze is a commonly used metal to this day. It has a melting point of 843–1037° centigrade. In the ancient world, tin was a precious metal, both because it was rare and because the tin-producing areas were far from the countries of the eastern Mediterranean.

The sources of tin in antiquity are still insufficiently known. Recently, tin mines of the third and second (?) millennia BCE were discovered in Afghanistan and Uzbekistan. Mesopotamian records mention *anaku* as a metal brought to Mesopotamia from the east. If *anaku* is indeed tin, it furnishes additional support for this source of the tin.

3 **Tin ingots**

3.1 **Round convex ingot**

Kefar Samir coast. D 35 Th 15
Weight 37 kg

3.2 **Round convex ingot**

The ingot is split in the middle, with a perforation which may have served for carrying or for weighing on a suspension balance. These two ingots form part of a group of eight loaf-shaped ingots discovered in 1983. This is the largest cargo of tin known up to the present, with the eight ingots totalling 150 kg in weight. Five lead ingots (Nos. 1.3–1.7) were found together with this group.
Kefar Samir coast. D 28 Th 14
Weight 27 kg

3.3 **Five ingots of indeterminate shape**

All the ingots are convex on one side and flat on the other. Three bear Cypro-Minoan (?) signs ϒϞ, ⋁ı incised after casting on the flat side. "Ḥishule Carmel" coast.
Weight 2.240–4.245 kg

Bronze objects

4 **Sickle sword**

The sword was produced by casting, and the wood inlay in the hilt has survived. The blade is decorated with incisions and the band at the junction of the hilt and the blade is ornamented with incised triangles and punctured dots (see drawing). This type of sword, called sickle-shaped because of its resemblance to a sickle, was, in fact, used for slashing and therefore the cutting edge was on the convex side. The biblical expression "to smite with the edge of the sword" may refer to such weapons. These swords were carried on the shoulder (see drawing). They were popular in Canaan in the Late Bronze Age. A sickle-shaped sword bearing the name of the Assyrian king Adad-Nirari I (1325 BCE) is one of the important objects for dating this type of sword to the 14th century BCE.
Kefar Samir coast. L 56 Th of blade 1

5 **Hoe**

Made in one piece consisting of the blade and the socket for inserting a wooden handle (see reconstruction). Such hoes were also found in the wreck off Cape Gelidonia and in Cyprus.
Haḥotrim coast. L 16 D upper part 5.5

6 **Fragments of horse-bits**

At least one bit can be reconstructed (see drawing) from the fragments, measuring 33 cm. The bit or mouthpiece consists of two twisted bronze rods, with a loop at one end and a bridle ring for attaching the reins at the other. Horse-bits of this type have been found in Eretz-Israel, Egypt, Anatolia and Greece. These fragments formed part of a bronze cargo destined for scrap.
Haḥotrim coast, cheek-pieces: L c. 17 each; Bit: L c. 16.5 each

Anchors

The large stone anchors found together with the three cargoes weigh up to 250 kg. The weight of the anchor was directly related to the size of the ship which carried it. Such anchors are called "weight anchors", since it is their weight which anchors them to the seabed. They have a single hole used to attach the rope connecting it to the ship. These stone anchors are characteristic of the entire Canaanite period and were in use in the eastern Mediterranean, probably originating on the Syrian coast or in Cyprus.

Anchor, sandstone

The figure of a sea-turtle is incised on the anchor. It is one of five stone anchors discovered in 1978 about 25 m northwest from the sickle sword. Three are of limestone and two of sandstone and they weigh between 105 and 180 kg.
Kefar Samir coast. L 77 W 70 Th 20
Weight c. 170 kg

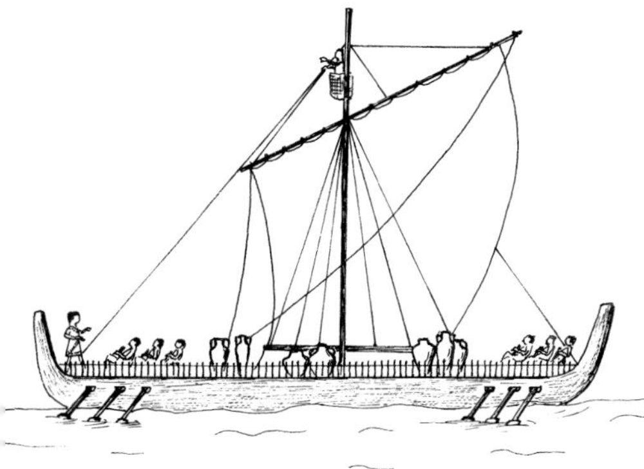

cargo-carrying ship (reconstruction of a Canaanite ship)

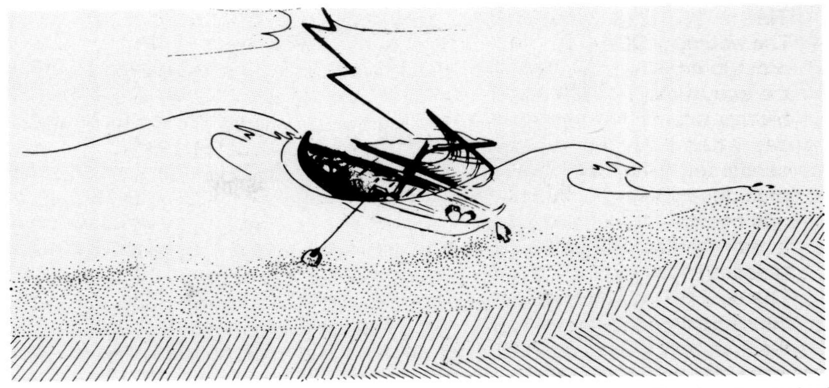

The ship is wrecked

Heavy objects sink to the bottom of the sea

The exposure of objects centuries later

Finds from the Hellenistic period

4th–2nd century BCE

The finds dating from the Hellenistic period were uncovered during the excavation of a Mamluk wreck (see below) in 1982, about 100 m from the Megadim coast. At that time a Hellenistic pottery amphora containing about 100 kg of bronze was recovered. Coins found among the bronze objects indicate that the ship was loaded in the late 2nd century BCE.

10

Hellenistic and Mamluk objects had already been discovered in that area in 1969 by the members of the Israel Underwater Archaeological Research Society and by fishermen. At that time it was thought that the Hellenistic objects were part of the general cargo of the Mamluk ship, which supposedly carried ancient bronze objects for melting down as scrap. However, today it is clear that there were two ships—a Hellenistic ship of the 2nd century BCE and a Mamluk ship of the 15th century CE. The two cargoes became mixed up because the cargo of the Mamluk ship sank on top of the cargo of the Hellenistic ship. The reason for both shipwrecks remains obscure, as there are no reefs in this area. The cargo from the ship of the Hellenistic period was scattered on the seabed over several hundred metres by storms and sea currents.

The amphora and its surprising contents were the most importand find among the objects of the Hellenistic period. Originally it had contained wine and the handle bore a stamp impression. Remains of the resin which had sealed the vessel and improved the taste of the wine were still preserved. The amphora probably originated in Rhodes in the 3rd–2nd century BCE, a time when the wine trade flourished in the islands of Greece and the Aegean and in Cyprus. Such an amphora would carry wine only once and would later be used for various purposes, either as a container for liquids or as a storage vessel, as in our case, but here the upper part was removed. The contents of the amphora were indeed surprising—various bronze objects, weighing about 100 kg, were crammed tightly into the vessel, and some were broken intentionally, so that they could be pushed through the narrow opening. The collection included coins, bracelets and bracelet fragments, parts of fittings, ingots, hundreds of nails, handles, weights, silversmith's tools, a compass, arrowheads, a ladle handle, a scale pan, various odds and ends and metal scraps. All these objects were exceptionally well preserved in the amphora, and hardly oxidized.

Hundreds of bronze fragments which belong to the same Hellenistic cargo were recovered from the sea in addition to the amphora, including parts of statues, such as fingers and toes, locks of hair, an ear and a male sexual organ. Some of these must have belonged to a more than twice life-size statue. The other fragments included handles and bases of vessels, a lamp, decorative "buttons", bracelets, hundreds of nails, furniture parts, etc. The objects found apart from the amphora were probably packed into containers, either reused amphoras or baskets and boxes of perishable materials which disintegrated, so that the contents were scattered on the seabed.

The great number of the finds and lack of space do not permit a discussion of every object and below we shall deal only with the objects contained in the amphora. Most of these were found broken or in pieces, confirming the supposition that the entire cargo of the Hellenistic ship was destined for scrap. Traces of gold-leaf gilding which had been removed before the objects were collected for melting are still visible on some of them, such as the bracelets, some of the tacks and the scale-pan (?).

9.2

9.1

With the rise of Alexander the Great and the ensuing spread of Greek civilization throughout the ancient world, the bronze industry flourished and expanded. Both in the east and in the west—in Asia Minor, Egypt and Italy—new industrial centres grew and prospered. Together with the rise in the standard of living enjoyed by the individual, the demand increased for bronze artifacts, including statues, which until then had been the property of the ruling authorities.
The late 2nd and early 1st centuries BCE were a time of growth and prosperity for cities on the Syro-Palestinian coast. Tyre, Sidon, Akko and Gaza, for instance, were autonomous cities and practised free trade, without direct control by the central government.
What was the destination of our ship and who were the traders travelling in it? Obviously, we have no answers to these questions, but perhaps we may conjecture that the ship set out from some city which possessed stores of scrap metal with a cargo of a certain weight of scrap bronze ordered by another city. Alternatively, perhaps the ship was owned by a trader in metals, who, like the Canaanite merchants, went from port to port buying and selling scrap metal for remelting. Such a conjecture would fit in well with the political situation prevailing along the coast of Eretz-Israel, where most of the cities enjoyed almost full independence. At any rate, the excellent workmanship of the statue fragments and their size suggest that the source of the scrap metal must have been a city large enough to afford the erection of such a costly statue.
Osnat Misch-Brandl and Ehud Galili

The amphora and its contents

8 **Amphora in secondary use**
Pinkish-yellowish ware; pear-shaped body ending in a pointed base.
Part of the neck and handles missing
Present H 68

9 **Seven coins** (two unidentifiable)

9.1 **Two coins** of Ptolemy VIII Euergetes (145–116 BCE), Cyprus mint

9.2 **Coin** of Demetrios II (?) year 150 (of Seleucid era = 162/1 BCE), mint of Tyre

9.3 **Coin** of Antiochus VII Euergetes (136/5 BCE), mint of Antioch

9.4 **Greek coin,** Lycian mint

10 **Ladle handle,** fragment
Only the upper part has been preserved. The handle, which is square in section, ended in a horned animal head, perhaps of an ibex. The details are added by incisions: round eyes, emphasized mouth, horns and neck accentuated by diagonal lines.
The ladle was restored according to two very similar ladles of the late Hellenistic period (2nd–1st century BCE) found in a burial cave at En-Gedi.
L 4 Th 0.5

11 **Two "Hellenistic" arrowheads**
Both arrowheads are triangular and pointed, with a central ridge and a protuberance at the joint between tang and body, which ends in two long, pointed wings. The tang was inserted into a shaft. These arrowheads are characteristic of the Hellenistic period (4th–2nd century BCE) and have been found on many sites throughout the Hellenistic world, including Eretz-Israel, for instance in the fortifications of Hellenistic Akko, at Dor and in the Jerusalem citadel, where they are dated to the end of the 3rd–2nd century BCE.
Arrowhead with straight tang, end broken, L 8.5
Arrowhead with bent tang, L 5.7

12 Swinging handles
These are handles of small vessels, such as situlas and boxes, which were attached to fixed rings or loops on these vessels. Such handles were very common in the classical and Hellenistic as well as in the Roman periods. Three kinds of handles can be distinguished:

12.1 **Eight handles** with rhomboid section.
The ends are turned upwards and end in loops decorated in relief.
L 2.8–6.0 Th 0.2–0.45

12.2 **Six handles** made from flat strips.
The tapering ends of the strip are turned upwards and end in thickened loops
L 5.5–8.0 Th 0.1

12.3 **Arch handle** with round section.
The ends and the middle are bent into three small loops. Traces of gilding.
L 6.5 Th 0.3

13 Nails
These are of a great variety of shapes. The shank of the long nails is round at the top and angular towards the pointed end, while that of the shorter nails has a square section. Most of the heads are slightly convex, but there are some with mushroom heads. All the nails were used before they were collected in the ship. They show signs of having been wrenched out from various objects and most are broken and twisted.
L 2.5–26.0

14 Tacks

14.1 **Dozens of tacks** which had apparently served to fix a lead plate to the ship's bottom to make it watertight.

14.2 **Twelve gilded tacks** for decoration and strengthening
Shank square in section
L 1.5–2.5 D of head 0.8–1.8

15 Architectural clamps
Two clamps consisting of a cast rod square in section with ends bent at right angles. In antiquity such clamps were used in masonry without mortar to strengthen the bond between the stones and were fixed in place with molten lead. This building method was already known in Egypt in the Old Kingdom in the 3rd millennium BCE and was widely used in Achaemenian Persia and in classical Greece, continuing until the Byzantine period.

15.1 **Complete clamp,** hammer marks on inside
L 30 H 5–6 W 2.0–4.5 L of bent end 2.5

15.2 **Broken clamps,** letters incised on upper part ≺B
L 16 H 4 W 1.5–2.5
L of bent end 1.7

16 Sixteen square ingots
The ingots were apparently cast in open moulds. Most bear marks of hammering, probably intended to remove oxides. Several kinds of hammer were used, implying that a number of persons may have been engaged in this work, perhaps providing a clue to the size of the forge. Most often the ingots bear round or triangular indentations made when testing the hardness of the metal. The letters (BA), impressed during casting, were found on three ingots.
The weight of the ingots varies considerably, indicating different standards. Probably they originated in a large forge in one of the coastal towns, which produced ingots according to the special requirements of various clients.
Surface: 8.2 x 8.2–8.8 x 8.8
Th 1.2–1.5 Weight 630.5–823.8 gr

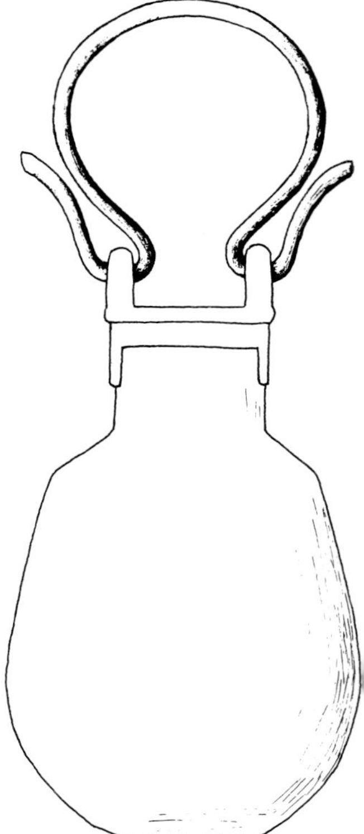
Vessel with swinging handle (**12**)

17 **Small square weight**
The letter A, representing the value of 1, is incised in dotted lines on the weight. This is a drachm weight, a unit current in Greece.
Surface: 1.1 x 1.1 Th 0.4 Weight 4.2 gr

18 **Wreath**
Seven leaves and three pieces of the stem which served to secure the wreath on the head have been preserved. The stem consists of a strip of gilded bronze which was rolled up into a cylinder 0.5 cm in diameter, of which a total length of 24 cm has been preserved. The leaves which were inserted into holes in the stem, spaced at 2 cm from each other, are lanceolate and probably represented laurel leaves. They are made from thin gilded bronze foil and have a raised midrib.
The wreath can be reconstructed according to other similar specimens. It consisted of two groups of leaves meeting on the forehead and tied at the back of the head with a string or ribbon. Such metal wreaths imitated wreaths of real leaves of various kinds granted to the victors as a mark of honour. Wreaths were placed on the heads of living persons, of the dead as a mark of victory and also offered as gifts to temples.
An olive (?) leaf was found among the artifacts in the cargo, which probably belongs to another wreath.

19 **Perforated rectangular plates**
On one side of each plate a square opening has been produced by drilling holes in the four corners and by striking the metal between the holes (three plates have a round hole). On the other side, it was attached to another plate by three nails. Dozens of such plaques were found in the cargo. All had been in use and had been torn off intentionally from whatever object they had been attached to. Their function remains obscure.
Surface: 13.5 x 14.0–6.5 x 20.0 Th 0.2–0.5

20 **Five split pins**
The ends of the pin were passed through a hole into a vessel or some other object and were then opened at right angles so as to secure the pin in place.
Another small pin was found attached to a small box (?). L 5.3 Th 0.3

21 **Himation fragment from a female statue (?)**
The fragment belongs to the edge of the himation (mantle) which was worn over the chiton. A silver wire was inlaid into the bronze in a floral design of characteristically Hellenistic style, dating the statue to the 4th–3rd century BCE. The quality of workmanship of the fragment is excellent. Literary sources record that silver inlays in bronze statues were popular both in the classical and the Hellenistic periods, though very few examples have been found. Our fragment of a bronze himation inlaid with silver appears to be the only one known up to the present and hence its importance. The statue of the Delphi charioteer, of the 5th century BCE, wears a fillet around the head which is decorated with silver thread inlaid in a meander pattern, and belt fragments inlaid with silver thread of a 4th century BCE bronze statue have been found at Olympia. Our himation fragment has been reconstructed in the laboratories of the Israel Museum from twelve pieces, broken intentionally so that they could be packed into the amphora.
Unfortunately, the fate of the splendid statue to which our piece of himation belongs remains unknown. In any case, when it was placed in the amphora, it was already scrap metal—raw material for remelting. L 95

22 **Circular bracelets**
Two complete bracelets and twenty-two fragments.
All the bracelets bear traces of gold leaf covering. Each bracelet consists of two rounded hollow parts joined at one end by means of a polygonal rivet reinforced by a small nail. The other ends, which are closed, partly overlap and are also secured by a small nail. With the exception of two fragments, all the bracelets are decorated in the same style. The decoration covers a third of the bracelet's length and is divided by grooves into three fields—two patterned with rhomboids or net designs, and one with a stylized leaf design. The two other bracelet fragments are thicker and heavier; they are decorated with a "peacock's eye" design all over and the closed end terminates in an animal head with two eyes (snake?).
Similar bracelets consisting of two parts were known in the Hellenistic world, but only a few examples have been found. One such bracelet was uncovered in Vouni (Cyprus) and a similar decoration is found on a bronze bracelet from Greece in the collections of The Walters Art Gallery, Baltimore.
D 4.0–9.9 Th 0.3–1.4

23 **Bracelets of twisted wire**
The bracelets bore traces of gold leaf covering. They are made of two or three pieces of wire twisted together and tapering to a point ornamented with an incised scale pattern. Such bracelets were well known in the Hellenistic period and usually ended in animal heads.
Rounded bracelet: d 7.5 Th 0.7
circumference 24
Three bracelet rods: L c 22 Th 0.5
Bracelet rods of two wires: L 13 Th 0.3

24 **Seventeen bracelet rods**
Remains of gold leaf gilding are visible on the rods.
L 13–25 Th 0.3–0.7
All three types of bracelets, although they are known in the Hellenistic world, are rare and unusual. Some scholars have therefore suggested that these may be handles of various objects rather than bracelets. Either way these artifacts are uncommon in the Hellenistic world. The cargo also contained various objects which probably belong to a goldsmith's kit of tools. We shall describe some of them below.

25 **Compass**
The compass consists of two flat arms. A mark is incised on the slightly convex outside of each arm near the joint. The compass arms were probably joined by a bronze pin. Such compasses were known in the classical and Hellenistic periods and examples have been found, for instance, at Delos, Pompeii, and at various sites in Egypt.
L of each arm 10.5 Th 0.2

26 **Round scale-pan,** gilded on outside; three perforations for suspension
D 8.5

27 **Three chisels**
L 9.5–11.2 Th 0.4–0.7

28 **Two pointed tools,** one broken
Complete tool L 8.9 Th 0.2–0.4

29 **Kohl-stick**
L 10.4 Th 0.2

30 **Fish-hook,** straight (either reject, or unused)
L 9.2 Th 0.2

Many more bronze fragments and waste, partly unidentifiable, were found in the amphora.

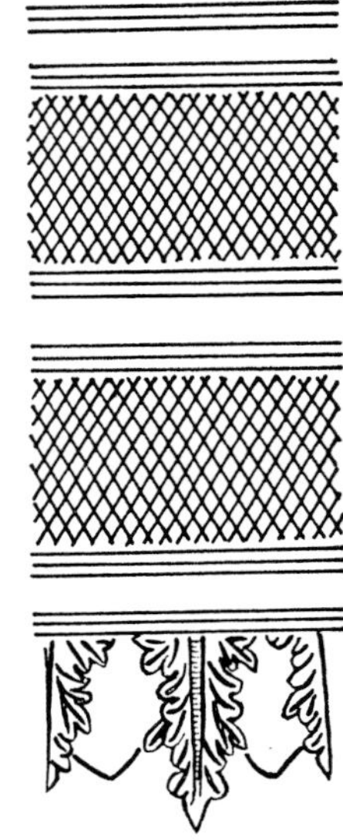

Spread out bracelet design (**22**)

Detail of jar decoration (**39**.3)

Finds from the Mamluk period

15th century CE

The underwater excavation of the ship's cargo from the Mamluk period off the Megadim coast was begun already in 1969, when several Mamluk coins were recovered from the sea and a few mortars and pestles were brought up by local fishermen. The cargo was then again covered with sand until a winter storm in 1982 exposed it and an inspection dive located lumps of coins and bronze artifacts scattered on the seabed. Most of the cargo was found concentrated in an area of 30 x 30 m, probably the site of the shipwreck. The lighter parts of the cargo were swept northwards by sea currents and waves, while the heavy metal cargo sank at the site, onto the clay layer under the sand. Nothing of the ship itself has survived, with the exception of a few wooden ribs trapped under the heavy cargo. The cargo included bronze artifacts, lumps of copper coins, a pair of basalt millstones and a block of iron which may have been a sack of nails. The bronze artifacts comprise the following main types: lighting devices, mortars and pestles, domestic utensils, decorative pieces for doors and boxes, and parts of a balance.

The coins dated the cargo to the Mamluk period, in the reign of Sultan Faraj (1399–1412).

The Mamluks took control of Egypt in 1250 and ruled it and the neighbouring countries for 250 years, until the Ottoman conquest in 1517. Originally the Mamluks were slaves who were brought from the steppes of Central Asia already in the 9th century to serve as bodyguards for the rulers. They set up a military-feudal regime which controlled all aspects of life in the country and as a result of their efficient administration, trade and commerce flourished and the rulers amassed great wealth. At its peak, the Mamluk state became one of the most powerful medieval empires and extended from southern Anatolia through Syria–Eretz-Israel, Transjordan and Hejaz to the Sudan.

The Mamluks are credited with three significant achievements: halting the Mongol advance southward, the expulsion of the last of the Crusaders from Eretz-Israel and the transfer of the caliphate from Baghdad to Egypt, making Egypt the centre of the Muslim world.

The ship's cargo exhibited here dates from the reign of Faraj of the Circassian Burji dynasty (1382–1517), originating in the Caucasus. Al-malik al-Naṣir Faraj was the twenty-sixth Mamluk sultan and the eldest son of Barquq, the founder of the Burji dynasty. During most of his reign, Faraj was occupied with wars in Syria, beginning with the Mongol invasion in 1400. The economy suffered from the continuous military expenditure, the loss of income from trade and taxes and from the decline in the value of the currency. In 1412, Faraj was murdered by the governor of Damascus.

The cargo of coins provides some clues to the route followed by the ship. It sank close to the year 1404, that being the latest date on the coins. All the coins were struck in Syrian mints, and it seems therefore likely that the ship set out from Syria, travelling southwards. It should be noted that the cargo was very heavy and that it would have been difficult to transport it even a short distance overland. Did the ship founder and sink or was it attacked and plundered? This question cannot be answered with certainty. At that time the coast of Syria and Eretz-Israel was frequently attacked by fleets of Christians from Rhodes and Cyprus. The Mamluks, whose forces were essentially a land army, acknowledged the naval superiority of the Franks and systematically reduced to ruins the coastal towns, ports and fortifications as a defensive measure. This destruction helped to cripple the sea routes and enabled the Franks even to rob ships anchored in port.

The nature of the metal cargo, which is limited in style and in range of forms, suggests that it was destined for a public building. The bags of money probably contained the wages or the maintenance funds for such a building. The Mamluks established many institutions for the public good. Their intense commitment to Islam, as well as the prohibition of the bequest of their property to their sons, led them to erect public institutions such as schools, baths, almshouses, hostels and mosques and to repair existing buildings., The Mamluks usually endowed these institutions with furniture and ornaments, including decorated doors, windows, all kinds of lamps, boxes for the Koran and the like.

Alternatively, it may be conjectured that the ship's cargo represented the taxes paid by the province to the government in Cairo. At that time, metal objects, and especially candlesticks and mortars, served as means of payment just like coins, because the inflation was so high that the value of the money was equal to the value of the metal. This theory would explain the fact that some of the artifacts were crushed and broken, probably already when they were sent.

The types and decorations of the metal objects reflect the styles popular in the Mamluk period and include objects produced during a century. Although the range of types is limited, differences in artistic quality can be discerned — some are profusely ornamented, others are carelessly made and still others lack any decoration.

Contemporary archaeological finds were uncovered in the excavations of Hama and Baalbek in Syria.

Decoration of bowl for collecting wax

Artistic metalwork

In the Mamluk period Islamic metalwork flowered and reached a peak of mastery and excellence due to the powerful patronage and vigorous encouragement of the Mamluk sultans and the great wealth at their disposal. At first, metalworkers continued the Ayyubid tradition, but already in the early 14th century the decorative style so characteristic of Mamluk metalwork began to develop. Figurative designs, popular at the beginning of the period, now disappeared. New designs appeared together with the floral patterns and arabesques which had been dominant during the entire period. These naturalistic designs included lotus flowers and peonies (No. 34.1), birds and fantastic animals such as the phoenix. They were derived from Chinese art and were brought to the Near East in the wake of the Mongol conquest and the consequent flooding of the markets with Chinese textiles and ceramics.

Large inscriptions, written in Mamluk *naskhi* or *thuluth* script, were an important decorative element in this period, often specifying the names of the sultans and their titles, as well as the date of manufacture and the names of the artists. However, the most important and most characteristic decorative element were the blazons containing heraldic emblems. Heraldic emblems of office were known before in Islam, but now for the first time they represent a specific office holder and adorn his property. Among the commonest insignia of office were the cup for the cup-bearer and the napkin (like that in our exhibit) for the master of the royal wardrobe.

Engraving and precious metals — gold and silver — inlaid in the bronze surface were the commonest decorative techniques. The demand for elaborately inlaid and glittering metalwork grew considerably in this period. The Mosul master craftsmen, who specialized in the inlay technique, brought their skills with them to the centres of the metalwork industry in Aleppo, Damascus and Cairo when they fled from the devastations of the Mongol invasion. A new

40

generation of local artists developed in these three centres making it difficult to determine in which centre a particular work was produced. After Aleppo and Damascus had been overrun by the Mongols in 1400, Cairo became an important metalworking centre, but the Syrian workshops continued to produce metalwork and our cargo can serve as evidence of this activity. Metalworking had begun to decline in the last quarter of the 14th century. With the cessation of support by the authorities and the deteriorating economic situation in the empire, the demand for large and splendid vessels decreased considerably. Inlaid work became less and less common, and the engraving technique predominated. A short revival occurred in the reign of Qaytbay (1468–1496).

Na'ama Brosh

Lighting devices

Apart from the ordinary domestic use of lighting implements, a very large number of such devices — candlesticks, lampstands and suspended glass and bronze lamps — were required for the illumination of public buildings such as mosques, schools and the like. Our ship's cargo included candlesticks, lampstands amd fittings for suspension.

31 **Candlesticks**

Three cast candlesticks. These have a bell-shaped body, a prominent base, slightly concave sides, prominent shoulders and a high socket in proportion to the body. One of the candlesticks has an engraved decoration while the other two are plain. Candlesticks were used in Mamluk mausoleums in Syria and Egypt, where they flanked the prayer niche (*miḥrab*). Various types of candlesticks are known. Our candlesticks are of late Mamluk style.

Literary sources record that a flourishing candlestick industry existed in Damascus in the late 13th century. The historian Maqrizi, writing in the 15th century, relates that the Sultan al-Malik al-Ashraf Khalil son of Qalaun, who ruled from Cairo, commanded his wazir in 1293 to order in Damascus a hundred copper candlesticks bearing the Sultan's titles and in addition fifty silver candlesticks and fifty more of gold. At that time Damascus was also famous for its fine lamps.

H 20–22 D of base 19.5–22

Lampstands

No complete lampstand was found in the cargo and very probably the stands were already broken up into bases, shafts and bowls before loading. Two kinds of stands can be discerned among the fragments— those with trays for placing the lamp and those with a pricket on which a candle was stuck. Both kinds were in widespread use in all parts of the Muslim empire since pre-Islamic times. Although the pricket stands were less common, they are the dominant kind in our assemblage. Three types of lamp-stands can be reconstructed from the fragments, which are all cast bronze.

32 **Stands with base** resting on three legs of paw-like shape, shaft consisting of three globular elements connected by disks, bearing a flat tray with a raised rim for placing a pottery or metal lamp. The parts are joined either by screws or by soldering. Only one example of this type was found, but without a base.

H c. 30

33 Pricket lampstands

33.1 This type, which has a spike for fixing the candle, also consists of three elements—base and shaft similar to No. 32 and a bowl for collecting the melted wax.
H c.30

33.2 Stands with a very tall shaft consisting of three elements, the central element being hollow.
H c.100

33.3 Slender stands with spike and bowl screwed on the spike (one of the stands has a shaft and bowl cast in one piece). These stands have a trapezoid base resting on a tripod with stylized animal feet. The pendants attached to the edge of the trapeze are a relic of the flower buds of the Byzantine period. This type was popular in Syria and Egypt in the 14th century.
H c. 30

34 Bowls for collecting wax

All the bowls have a hole in the centre for slipping over the spike on the stand. They are of a different size and ornamentation — one is inlaid with an engraved silver leaf (34.1), others are engraved (34.2) and still others are plain.

35 Fittings for suspension

35.1 Hook for suspending lamp
L 20

35.2 Part of suspension chain
L 30

35.3 Device for suspension (?)
H 24

These fittings almost certainly served to suspend large bronze lamps.
Suspended glass or bronze lamps were the most common means of lighting in the Islamic period.

36 Mortars and pestles

The mortars are octagonal, mostly with one or two handles in the shape of rings issuing from a stylized lion's head (only part of the rings have survived). One of the mortars is decorated on all sides with lotus buds in high relief, a design popular in early Islamic metalwork inspired by the Sasano-Iranian tradition. All the mortars in the assemblage imitate Mesopotamian mortars of the 13th century. Bronze mortars were unknown in the pre-Islamic period and they were probably first made in Iran approximately in the 10th century in imitation of stone mortars. Mortars were used for crushing small food substances such as spices, for preparing chemical compounds and for pounding medicinal herbs and other materials in hospitals and pharmacies.
Ten mortars, D 14.5–19.5 H 9.0–13.5
Nine pestles, L c. 24 (five are broken)

37 Door decorations

Several door decorations, all of cast bronze, were found among the ship's cargo, including decorations around the keyhole, a door-knocker (37.1) and decorations for the door surface (37.2). Of special interest are two lions (37.3) which formed part of a floral design interspersed with animals.
In Islamic art from the early period onwards wooden doors were frequently decorated with a covering of bronze or some other metal, such as for instance silver. In the Mamluk period these decorations became very common, especially on frontal entrances, and such ornamental doorways can be seen to this day.
The wooden doors were reinforced in the back by a bronze frame and the outer face was sheathed with bronze panels. The

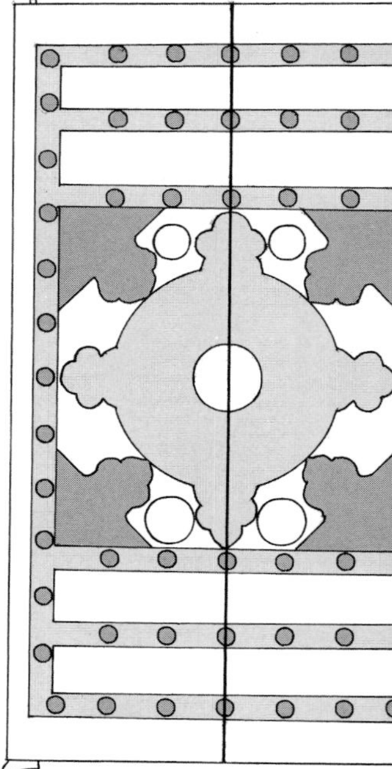

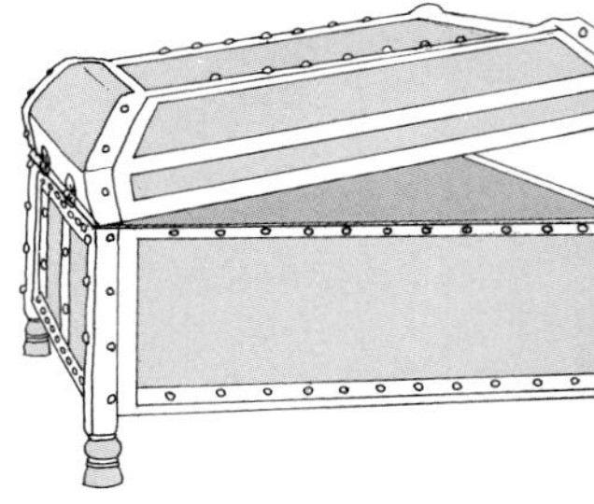

Wooden door and Koran box w
openwork bronze decoration

openwork decorations were fixed to the bronze plates with nails, some with bulbous heads. The door surface was divided into several decorative zones — the vicinity of the keyhole, the four corners, the centre and the edges. Sometimes the entire door surface was covered with ornamental designs. A door-knocker was attached to the middle of the door, with a metal plate under it. The motifs were mainly floral or vegetal, especially scrolls, which were fixed to the door in separate pieces, combining to achieving arabesque patterns.

38 **Decorations for boxes**
Some of the decorative elements found together with the door decorations were too small for doors and must have ornamented boxes. These were large wooden or metal boxes for the Koran which were common in the Mamluk period and were used mainly in religious buildings. They were ornamented with designs in hammered sheet bronze or, like the doors, with openwork elements. The hinges were an important detail in the decorative scheme of such boxes.

39 **Domestic utensils**

39.1 **Basin with remains of carob beans**
D 70

39.2 **Seven ewer handles**
H 15–27

39.3 **Jar**
H 18

39.4 **Bowl**
D 20.5 H 10.5

39.5 **Two tray stands** D 14.5 H 15
All the utensils are characteristic of the Mamluk period. The bowl, of cast bronze, imitates the shape of contemporary pottery bowls.
One of the handles is hollow and made of hammered bronze. The other handles are of cast bronze, and though of different size, are all similar in style, with a button on the upper part and both ends terminating in stylized snake heads. Such handles are characteristic of earlier ewers from Mosul, of the 13th century.

Parts of bowls and boxes

40 **Stylized griffin,** one of the three feet of a metal bowl or incense-burner
H 11

41 **Two feet of boxes or casket**
A stylized bird (parrot?) is standing on the upper part, the middle is angular and the lower part (preserved on one foot) is an animal paw (on one foot tacks with bulbous heads have been preserved).
H 20 (complete foot), H 16 (Broken foot)

42 **Handle (?)** of bowl or incense burner, with dragon at the end
H 13

43 **Coins**
The most interesting and important part of the Mamluk ship's cargo are the six blocks of copper coins. As was usual at that time, the coins were transported in parcels (Arabic *Ṣurra*), packed into containers of woven palm fibres (see drawing). Remains of these fibres are still stuck to one of the blocks. Each parcel most probably contained a fixed number of coins.
Several dozen coins were examined by Ariel Berman, who succeeded in distinguishing up to the present thirty different types, dating mainly from the late 14th and early 15th centuries. Most are from the reigns of the Mamluk sultans Nasir al-Din Muhammad (1309–1340), Sha'aban II (1363–1376), Barquq (1382–1399) and especially Faraj (1389–1405), while a smaller number are from the time of the Ottoman sultan Bayazid I (1389–1402) and the Turkoman

tribes under Mongol overlordship in Asia Minor. The latest coin is of 1404. Some of the coins were overstruck and others were out of circulation.
Six mints were active in the Mamluk period: Cairo and Alexandria in Egypt, Damascus, Aleppo, Tripoli and Hama in Syria. The coins in the cargo were all minted in Syria.
The coins are inscribed in the *naskhi-tuluth* script in several horizontal lines, giving the royal protocol, which included the sultan's titles in summary form, and sometimes the name of the mint and the date when the coin was struck.
Between the inscriptions are arabesques and tiny scrolls and the heraldic emblems so characteristic of Mamluk art also appear, mainly on the reverse of copper coins from Syria. (The coins struck in Egypt were usually decorated with epigraphic designs.)
These coins, which had irregular flans and were carelessly manufactured, were of very low value. Such coins were struck hastily and in enormous quantities because of the severe inflation. The grave monetary crisis began with the advent of the Mamluks and was partly caused by the change in the metrology which the Mamluks had inherited from the Ayyubids. Early Islamic monetary metrology was based on the gold dinar and its relationship to the silver dirhem. In the Mamluk period the dinar already had no fixed value and weight and was replaced by the silver dirhem as the standard of coinage. The copper coins, the *fulus*, which earlier were not considered to be official coins and had only local value, now were raised to the status of state currency, with a value equal to that of the dirhem.
The silver-copper monetary system could not be maintained by the Mamluk regime, which suffered from continuous political struggles and economic difficulties. In these circumstances, the value of the gold coins, which were traded by weight, rose higher every day, while the silver coins became scarce, and the copper coins became practically the only currency on the market.
The economic difficulties and the galloping inflation forced Faraj to introduce two monetary reforms. The first attempt, in 1401, was based on the return to the gold dinar as the monetary standard. When this attempt failed, Faraj introduced a second monetary reform in 1407, basing the value of the gold coin on the weight of the Venetian gold sequin.
In view of the monetary situation prevailing at the time of the shipwreck and the scarcity of gold and silver coins on the markets of that period, it seems unlikely that the ship carried such precious coins and that these were robbed before it sank.

See photo page 23, Hebrew

גוש מטבעות ואליו צמודים קני מנורה
Lampstand shafts stuck to a block of coins

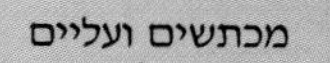

36 מכתשים ועליים
Mortars and pestles

41 רגלי קופסאות
Feet of boxes

35.3 מתקן לתליית מנורות (?)
Fitting for lamp suspension (?)

39.2 שחזור הכלים שלהם היו שייכות הידיות
Reconstruction of the ewers to which the handles belonged

״אשיב ממצולות ים״

תהלים סח:כג

מטעני ספינות עתיקות
מחוף הכרמל

הטיפול בחפצים במעבדות המוזיאון, התצוגה והקטלוג אופשרו באדיבות קרן אמריקן אקספרס, מר יוג׳ין גרנט וחברת גרנט בע״מ, מר מרטין הורוביץ, מר קרטיס כץ וגב׳ רחל סקולקין.

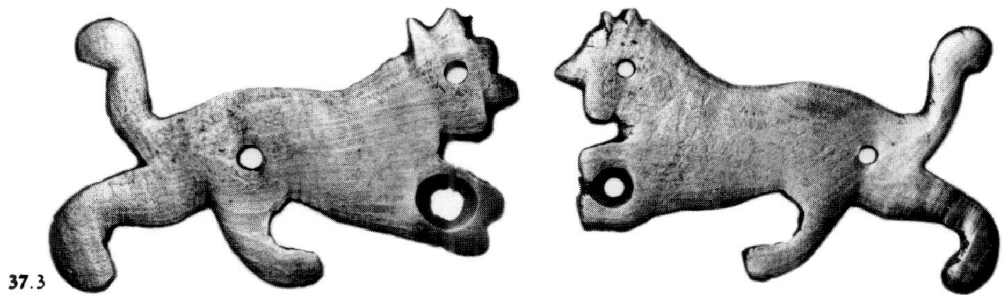

37.3

החפירות נערכו מטעם אגף העתיקות והמוזיאונים בשיתוף עם המרכז ללימודי-ים באוניברסיטת חיפה.
במשלחת החפירות השתתפו שלי וקסמן, אהוד גלילי, קורט רווה ונסים שמואלי

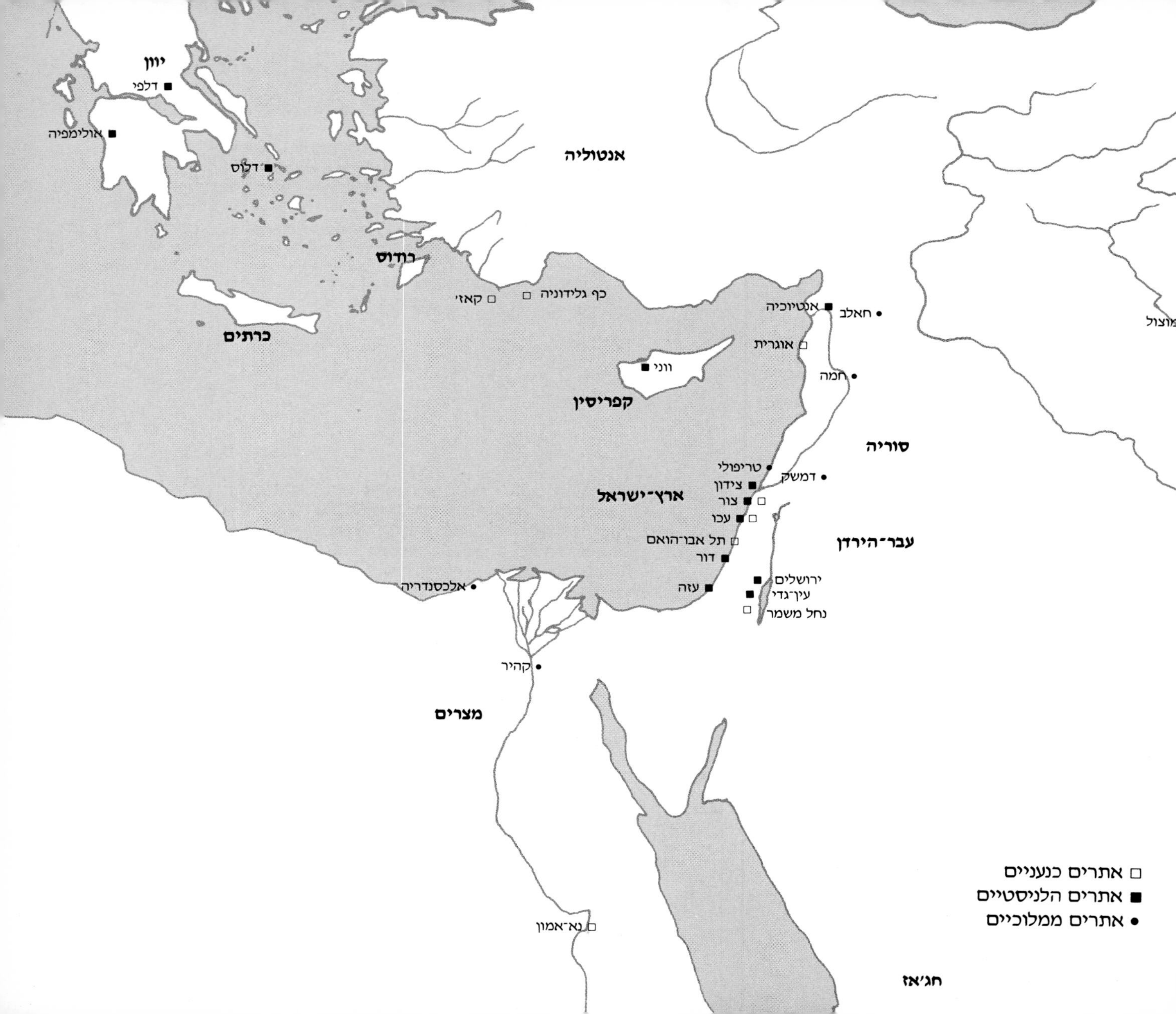

יוון
דלפי
אולימפיה
דלוס
אנטוליה
רודוס
כרתים
קאזי
כף גלידוניה
אנטיוכיה
חאלב
מוצול
אוגרית
ווני
חמה
קפריסין
סוריה
טריפולי
דמשק
צידון
ארץ־ישראל
צור
עכו
תל אבו־הואס
עבר־הירדן
דור
ירושלים
עזה
עין־גדי
אלכסנדריה
נחל משמר
קהיר
מצרים
אתרים כנעניים
אתרים הלניסטיים
אתרים ממלוכיים
נא־אמון
חג׳אז

הארכיאולוגיה התת־ימית, החושפת לפנינו את צפונות הים העתיקות, מספקת לנו מידע משלים לנלמד מן הארכיאולוגיה היבשתית. עם התפתחות מדע זה בשנים האחרונות התרבו החפירות התת־ימיות בארץ ובעקבותיהן נחשפו ממצאים חדשים ומרתקים שנמשו מן הים. הממצא העשיר והמגוון מאין כמוהו שנחשף בים התיכון, באזור שבין עתלית וחיפה, עורר את הצורך להציגו בפני הקהל הרחב ועמו — את סיפורה של הארכיאולוגיה התת־ימית כדיסציפלינה בפני עצמה.

בחרנו להציג לפני הקהל מטעני כמה ספינות טרופות, המכילים בעיקרם חפצי מתכת:
מן התקופה הכנענית, המאות הי״ד–הי״ג לפסה״נ — מטילים שנועדו לעשיית חפצים; מן התקופה הממלוכית, המאה הט״ו לסה״נ — חפצים מברונזה שנועדו לשימוש; ומן התקופה ההלניסטית, המאות הד׳–הב׳ לפסה״נ — חפצים שיצאו מכלל שימוש ונועדו להתכה.

הכמות הכוללת של מתכת שנמצאה במטענים אלה היא עצומה, ובולטת במיוחד לעומת הממצא המועט יחסית של חפצי מתכת שנחשפו ביבשה. חפצי המתכת העתיקים ביבשה נדירים, בשל המיחזור האינטנסיבי של מתכות יקרות שנמכרו לסוחרי גרוטאות והותכו מחדש. ממצא המתכות שלפנינו חשוב אפוא, לא רק משום התמונה שהוא מצייר על חיי המסחר והיקפו, אלא גם בשל מגוון הכלים והחפצים שהוא מביא לפנינו, אשר ביבשה לא היו יכולים להשתמר.

מוזיאון ישראל מודה לכל הגופים והאישים אשר אפשרו להציג תערוכה זו, הראשונה אשר כל מוצגיה נמשו מן הים. מסגרת מתאימה לתערוכה הוא מוזיאון ״רוקפלר״, שלו הבכורה בהצגת ממצאיה הקדומים של ארץ־ישראל בפני הציבור.

יעל ישראלי
אוצרת ראשית

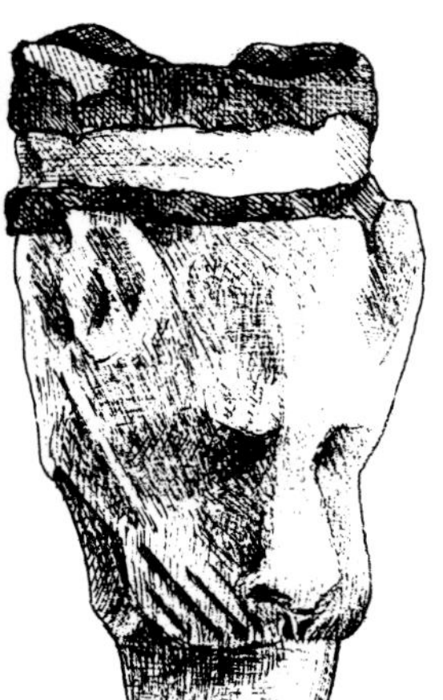

פי־מזרקה בדמות ראש אריה,
התקופה ההלניסטית

תודה חמה לחופרים שלי וקסמן, קורט רווה ואהוד גלילי, על שאפשרו לי להציג חומר זה בתערוכה לפני פרסומו, ועל שתרמו מידיעותיהם בתחום הארכיאולוגיה הימית לקטלוג.
תודתנו למוזיאון הימי, חיפה, על שניאות להשאיל לתצוגה חפצים שברשותו, ולפרופ׳ אברהם ערן, ד״ר גדעון פרסטר ואריאל ברמן, על עזרתם בכתיבת הטקסט. לאנשי מעבדת הכימיה במוזיאון ישראל, רחל בהרד, יעל קפלן ומרינה רזובסקי וכן לארנה כהן ממעבדת הכימיה במכון לארכיאולוגיה באוניברסיטה העברית, תודתי על המומחיות והמסירות שהשקיעו בניקוי החפצים ושימורם. יבואו על הברכה הצורפות אילה ביגלאייזן ולריסה רוזנשטוק, הציירת גבריאלה גלוקסמן, לין קלם, אברהם לוי, וא׳ שפאר על עצותיהם והערותיהם המועילות.
ובאחרונה, תודה לחברי באגף ברונפמן על שליוו אותי בעצה ובעזרה בכל שלבי העבודה.

אסנת מיש־ברנדל
אוצרת התערוכה

כל המידות נתונות בס״מ. א — אורך, ר — רוחב, ג — גובה, ע — עובי

אשיב ממצולות ים

חוף ארץ־ישראל־סוריה, שאורכו כ־600 ק״מ, שימש נתיב ימי פעיל במשך כחמשת אלפים שנה. מאז ימי קדם היתה זו דרך־ים ראשית חשובה, ככל הנראה הנתיב שוקק הספינות ביותר שבים התיכון. אין פלא אפוא שלכל אורכו נתגלו שרידי ספינות טרופות, ששקעו במצולות, אם בשל פגעי האקלים ואם מיד אדם. בתקופות רבות היה זה נתיב הקשר החשוב ביותר, לעתים היחיד, בין ערי החוף השונות ובינן לבין מדינות הים ממערב. נמלי הארץ שימשו גם כתחנות־מעבר להעברת סחורות לפנים הארץ וגם כנמלי טעינה ופריקה של מטענים שהיו כבדים מכדי להעבירם בדרך היבשה. בתקופות פריחה, כגון תקופת הברונזה המאוחרת או ההלניסטית־רומית, ניתן לשער שבנתיב־ים זה הילכו ספינות שונות בדרכן דרומה מסוריה או צפונה ממצרים ליוון ורומא, בהן ספינות־סוחר גדולות שהובילו מטענים שונים, ולצדן צי גדול של סירות וספינות קטנות, שהיו חלק ממערכת התובלה והמסחר המקומיים.

הים התיכון ידוע כים סוער והפכפך וחוף ארץ־ישראל איננו מפורץ. וכך, כאשר נקלעו ספינות לסערה ולא מצאו לעצמן מקום מסתור, נטרפו או נשדדו סמוך לחוף, באזור המשברים שרוחבו כ־200 מ׳. בשל מספרן הרב של הספינות ששטו לאורך החוף והשיעור הגבוה של מקרים שנטרפו ספינות, ניתן להעריך כי בממוצע מצויים כל 100 מ׳ בקירוב שרידים של ספינה טרופה. חוף ארץ־ישראל מהווה אפוא כעין בית־קברות ענקי של ספינות עתיקות. חלקי העץ ורוב מטענן של הספינות נסחפו בדרך כלל אל החוף ושם אבדו. חלקי המטען הכבדים, בעיקר חפצי מתכת ואבן וכן עוגנים, שקעו על תשתית קשה במצולות ונתכסו בחול במשך אלפי שנה, עד שנחשפו מן החול על־ידי זרמי הים ועבודתו של הארכיאולוג התת־ימי.

בעשורים האחרונים הולכת ופוחתת כמות החול הנערם לאורך החוף, בעיקר בגלל כרייה מוגברת של חול לבניין מחופי הארץ, דבר שגרם לחשיפתם של חפצים על קרקעית הים.

אחד היתרונות החשובים בחשיפת חפצים ששקעו בים הוא בכך שעל קרקעית הים הטינית הם מתכסים מיד במעטה מגן חולי או בוצי וכך משתמרים היטב. מסייעת לכך גם העובדה שתהליכי הרקבון וההתחמצנות מואטים בתנאי חוסר החמצן שמתחת למים. וכך ניתן למצוא חפצים עשויים מחומר מתכלה, שרק הודות לכך ששקעו בים הגיעו לידינו, כמו, למשל, החרב (מס׳ 4), ששיבוץ העץ שבה השתמר במצב מעולה. גם חפצי מתכת צפויים במים לחמצון איטי הרבה יותר מאשר ביבשה.

הארכיאולוגיה התת־ימית היא מדע חדש. עד שנות החמישים היו הנסיונות למשיית עתיקות מן הים בבחינות שוד בלתי מבוקר, שעיקרו גילוי ממצאים למכירה.

המפנה במחקר הארכיאולוגי התת־ימי החל בסוף מלחמת העולם השנייה, כשפותחו לצרכים צבאיים מכשירי צלילה שאפשרו שהייה ארוכה במים. ז׳אק קוסטו, חוקר המעמקים, היה הראשון שפיתח כלים מתאימים לאיתור ולרישום חפצים, למשל ה״שָאֲוֶויר״ — מכשיר המשמש לחפירה, וכן פותח הצילום התת־ימי. החפירה התת־ימית הראשונה של ארכיאולוג־צולל היתה בשנת 1960. היה זה ג׳ורג׳ בס שגילה שרידי ספינת עץ משלהי תקופת הברונזה המאוחרת שטבעה ליד כף־גלידוניה שבדרום תורכיה. מאז הפכה הארכיאולוגיה התת־ימית לתחום מדע עצמאי, לצד הארכיאולוגיה היבשתית.

פיתוח מכשירים חדישים ושיטות עבודה יעילות הביא למפנה בארכיאולוגיה התת־ימית. כיום יש באפשרותנו לגלות אתרים תת־ימיים, לחפור בהם ולחקור אותם. מאות הספינות שנחשפו בשנים האחרונות תרמו לחקר בניית הספינות העתיקות, שיטות הספנות והלוחמה הימית, וכן לחקר מתקני הנמל ולהבנה רבה יותר של תוואי המסחר ואופיו בין ארצות הים בימי־קדם.

האתרים התת־ימיים מאפשרים לארכיאולוג התת־ימי לחקור ספינות ומטענן, יישובים ומתקני נמל שכוסו בידי הים. עיקר עבודתו מתמקדת בממצאים ששרדו מאסונות ימיים. ייחודם של ממצאים אלה, בהשוואה לממצאים עתיקים המתגלים ביבשה, הוא בכך שמרגע ששקעו במצולות לא נגע בהם איש. לכל החפצים שבספינה טבועה יש תאריך שימוש אחרון, הוא יום טביעת הספינה. ספינה טבועה היא אפוא עולם ומלואו שנדם בפתע ונטמן במקום שאיש לא הגיע אליו עד לבואו של הארכיאולוג התת־ימי.

מפת האתרים שבהם נערכו החפירות

שיטות העבודה בארכיאולוגיה התת־ימית

א) סקר תת־ימי: סקרים תת־ימיים מתבצעים בידי צוללים והם נחלקים לשלושה סוגים, בהתאם לעומק המים, תנאי הראות וסוג קרקעית הים. עצם הסקר נערך בידי קבוצה של צוללים הנעה בשורה חזיתית ובוחנת את השטח באופן שיטתי, בעזרת חבל ומצפן. האמצעים שבהם נעזר הארכיאולוג התת־ימי לגילוי אתרים הם משני סוגים: מכשירים אלקטרוניים המופעלים מכלי־שיט שעל פני הים ואמצעי־עזר לצולל, וביניהם כלי רכב תת־ימיים המאפשרים לסקור שטחים נרחבים, בעומק רב ובזמן קצר יחסית. הארכיאולוג־הצולל נעזר גם במגלה־מתכות הנגרר על־ידי ספינה.

ב) חפירה ותיעוד: את אתר החפירה במים יש צורך לסמן ולמפות. השיטה המהירה ביותר היא מתיחת קו־בסיס בעזרת חבל מסומן סימון מטרי, שקצותיו נקשרים אל מצופים במקומות מסומנים. מיקומו של כל עצם מצוין ביחס לקו־בסיס זה.
שיטה יסודית יותר היא שיטת המרובעים. על־פי שיטה זו נמתחת על כל האתר רשת ריבועים עשויה צינורות מתכת או פלסטיק, היוצרים ריבועים בני 2×2 מ׳. ריבועים אלה יכולים לשמש גם כבסיס למגדל צילום. מגדל כזה, שבראשו מצלמה, מרכיבים בגמר החפירה על כל ריבוע. כל ממצא מצוין במספר המוצמד לחפץ בחבל דק. כן מתואר במפורט כל ריבוע וריבוע על ממצאיו. בעזרת "שאוויר" נשאבים החול, הבוץ והאבנים מאתר החפירה ומועברים הצידה באמצעות צינור. את שכבת החול הדקה מרחיקים בסילון מים המותז בזרנוק ממשאבה שעל־גבי ספינה או מן החוף. לפינוי סלעים או חפצים כבדים משתמשים הצוללים במצנח־הצפה: החפץ נקשר למצנח ואל תוך המצנח מוזרם אוויר הגורם להצפתו ואז נגרר החפץ הכבד אל החוף. לעתים מתכסה האתר בסלעים ובשכבת צמידה עבה, שאפשר להרחיקם רק בחציבה.
אלו הן חלק משיטות העבודה המקובלות בארכיאולוגיה התת־ימית. בעיקרו של דבר, מרחבי הים העצומים טרם נחקרו והארכיאולוגיה התת־ימית נמצאת עדיין בתחילת הדרך. אך כל שנה משתכללים המכשירים והשיטות ובאמצעותם מצליח האדם לחדור עמוק יותר למצולות ים. וכך בעתיד יתגלו בוודאי שברי ספינות רבות יותר, בעומק רב יותר, ובמצב שימור טוב הרבה יותר מן השרידים המתגלים כיום במים הרדודים.

אסנת מיש־ברנדל ואהוד גלילי

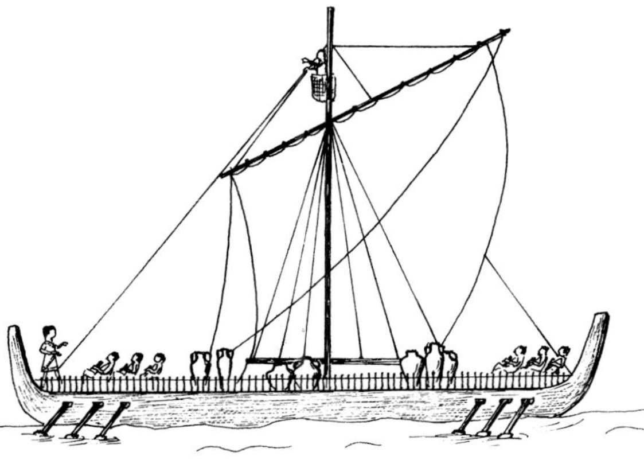

הספינה נושאת המטען (שחזור של ספינה כנענית)

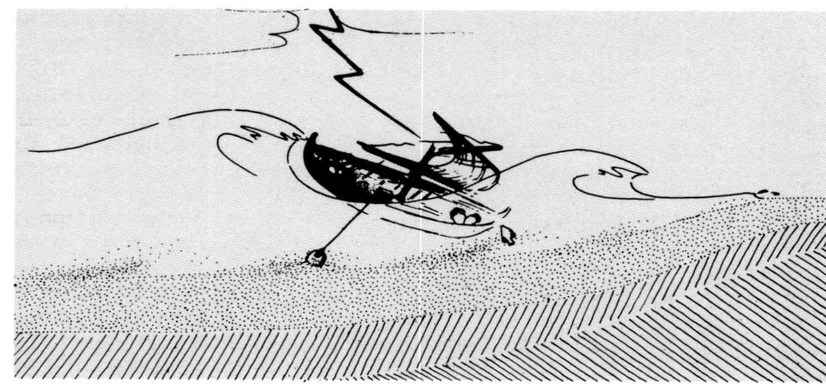
הספינה נטרפת אל החוף

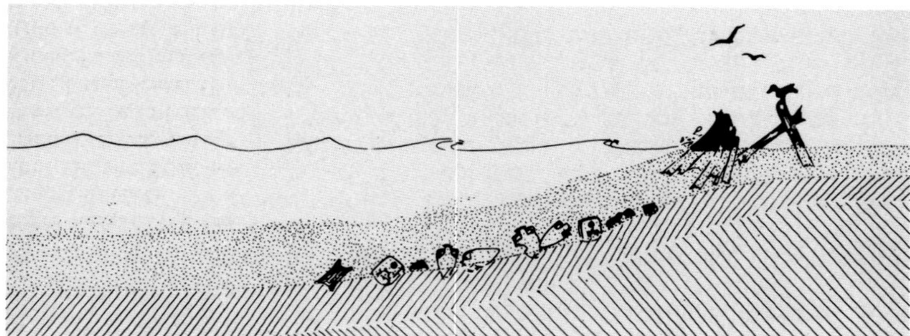
החפצים הכבדים שוקעים על קרקעית הים

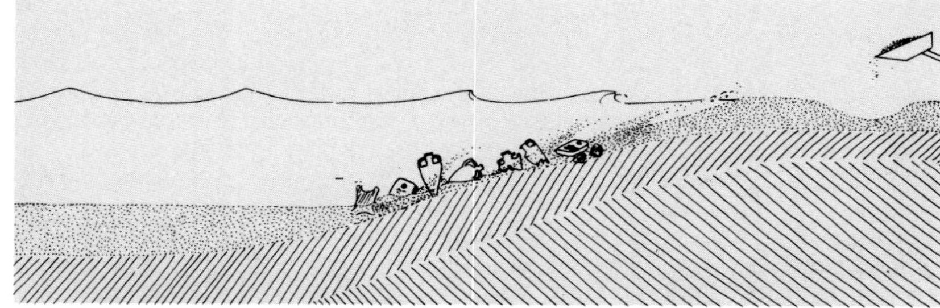
חשיפת חפצים כעבור מאות שנה

ממצאים מן התקופה הכנענית (הברונזה) המאוחרת

המאה הי״ד-הי״ג לפסה״נ

פעילות מסחרית ענפה אפיינה את ארצות מזרח הים־התיכון בתקופה זו, כפי שניתן ללמוד מכתובות מצריות וכנעניות ומן הממצא הארכיאולוגי. הסחר במתכות היה אחד ממרכיבי המסחר החשובים ולכן בתערוכה יושם דגש מיוחד על מטילי המתכת והסחר בהם.

מכרות המתכת, בניגוד לאזורי הכרייה של הטין, למשל, היו מועטים ומרוכזים רק באזורים ספורים. לכן פיתוחה של המטלורגיה העתיקה קשור תמיד בפיתוח נתיבי המסחר ואמצעי ההעברה של המתכת ומוצריה ממקום למקום. שיטות ייצור המתכת ועיבודה היו מסובכות ורבות־שלבים ומספר רב של חרשים היו מעורבים בתהליך, מכריית המתכת ועד למוצר המוגמר.

חפצי המתכת, בהיותם יקרים יותר ושבירים פחות מכלי החרס, לא היו רגישים כמותם לשינויים מקומיים בעיצוב ובסגנון ולכן אינם יכולים לשמש אמצעי־עזר כרונולוגי כמותם. אולם מציאותם באזורים שונים שופכת אור על נתיבי המסחר הקדום ועל אופי העברת רעיונות מאזור אחד לאחר.

כדי להקל על העברת המתכת ייצרו מן העופרה מטילים בצורות שונות: ״דמויי לשון״, ״דמויי לחמנית״, ״דמויי כיכר״ ובצורת ״עור־הפר״. צורות המטילים תלויות היו במקום הייצור ובמטרת המטיל — אם לייצור מיידי של חפצים או לשם מסחר.

בתערוכה זו מוצג לראשונה מבחר עשיר ביותר של מטילי מתכת. מטילים אלה נמשו מן הים בקטע בן 3 ק״מ, בין קיבוץ החותרים בדרום וכפר־סמיר בצפון. בקטע זה, במרחק של כ־50-100 מ׳ מחוף הים, נחשפו שלושה מכלולים דומים של מטילים וחפצי מתכת, כולם מתקופת הברונזה המאוחרת. ממצאי שלושת המכלולים והצורה שבה היו פזורים לאורך החוף מצביעים על האפשרות שמקורם בשלוש ספינות שונות בנות תקופה אחת. העובדה שמטעני הספינות נתגלו במרחקים קצרים יחסית זה מזה מסתברת בגלל המספר הרב של ספינות ששטו בתוואי זה בעת העתיקה. אפשרות אחרת להבנת הממצא היא שלפנינו שלושה מכלולים השייכים לספינה אחת, אשר מסיבות כלשהן נאלצה להטיל המימה חלק ממטענה הכבד כדי שתוכל להמשיך במסעה. אופיים הדומה של שלושת המכלולים מחזק הנחה זו. מצב מעין זה מתואר בספר יונה: ״וה׳ הטיל רוח גדולה אל הים ויהי סער גדול בים והאניה חשבה להשבר וייראו המלחים ויזעקו איש אל אלהיו ויטילו את הכלים אשר באניה אל הים להקל מעליהם...״ (א: ד-ה). אולם קרבתם של הממצאים לחוף מקשה על טענה זו: ספינה אינה מתקרבת לחוף שאיננו מפורץ ואין בו נמל אלא אם כן היא נסחפת אליו בסערה. במצב כזה אין למלחים שהות להשליך חפצים לים ומטרתם היחידה היא למלט את נפשם מן הספינה הטובעת.

המטען הדרומי מבין השלושה נתגלה בשנת 1980, מול גבולו הצפוני של קיבוץ החותרים. החפצים היו מפוזרים על קרקעית הים וזרמי המים חשפו אותם זמנית. ואלה הם פריטי המטען שנתגלו: מטילי עופרת, שברים של מטילי עופרת ונחושת, שברי מתגי סוסים ומעדר. שני עוגני אבן גדולים נתגלו בקרבה, וגם הם שייכים אולי לספינה נושאת המטען.

מטען שני של מטילי מתכת נתגלה במסגרת סקר ימי בחוף ״חישולי כרמל״ בחורף 1982, במרחק 100 מ׳ מהחוף ובעומק 3-4 מטרים. האתר מכוסה רוב ימות השנה בחול ונחשף לעתים רחוקות מאוד. בעת הסקר נתגלו, פזורים על מצע של טין, מטילי בדיל ונחושת על פני שטח של 8 מ״ר ונראה כי לא זזו ממקומם במשך שנים. העובדה כי לא היו מכוסים בצמידת־ים מלמדת כי לא נחשפו עד כה מעולם.

בעקבות הגילוי הזה נשלחה למקום משלחת לביצוע חפירת־הצלה תת־ימית. בחפירה נחשף שטח של 6 מ״ר ובעזרת ״שאוויר״ התגלו גם ארבעה עוגני־אבן שמשקלם כ־250 ק״ג כל אחד, המונחים בשורה במרחק שלא עלה על 2 מ׳ זה מזה. כל העוגנים עשויים אבן גיר רכה, אולם אין לומר בוודאות שהם היו שייכים לכלי השיט שנשא את המטילים.

שרידי המטען השלישי, הצפוני מכולם, נחשפו מול כפר־סמיר. השרידים נתגלו בהבדלי זמן במשך כשמונה שנים ובכך הם ממחישים את חשיבותו של הסקר הימי. הם נמצאו במרחק כ־100 מ׳ מן החוף על פני שטח של 50 מ״ר ובעומק כ־3 מ׳. המכלול היה מורכב ממטילי בדיל ועופרת וכן חרב־מגל ועוגנים.

אסנת מיש־ברנדל, אהוד גלילי ושלי וקסמן

לי מתכת ואופן התכתם, מתוך ציור־קיר
ר אצילים בנא־אמון

מטילי המתכת

שלושה סוגי מטילים נמשו מן הים: מטילי עופרת, נחושת ובדיל. מציאותם של מטילי הבדיל, הנחושת והעופרת לאורך חופי ארץ־ישראל מעידה כי הספינות שסחרו במתכות חלפו בנתיבים אלה ומגמת פניהן היתה אולי גם לנמלי הארץ, כגון צור, עכו או תל אבו־הואם שליד חיפה. שאלה מעניינת היא, מי היו האנשים שסחרו במתכת? קרוב לוודאי שלפחות חלק מן הסחר בתקופה זו היה בידיים פרטיות של קבלני מתכת, שלהם היו שייכות הספינות. הם נסעו, כנראה, מעיר־נמל אחת לשנייה והיו מוכרים וקונים את המתכות בכל מקום שאפשר היה.

על רבים ממטילי העופרת, הבדיל וכנראה גם על מטיל הנחושת מצויים סימנים "קיפרו־מינואיים"(?). אלה אופייניים לקפריסין במאות הי"ד-הי"ג לפסה"נ ומוכרים גם מאוגרית שבחוף סוריה. שכיחותם הגבוהה על מטילי המתכת מצביעה ככל הנראה על העובדה שקפריסין היתה תחנת־מעבר ומרכז מסחרי־מינהלי בסחר המטילים, ואולי היתה אוגרית מרכז כזה. עדיין לא ברור אם סימנים קיפרו־מינואיים אלה מציינים בעלות או את ערך המטיל. ברור, על כל פנים, שנחרתו במכוון וכי היה להם תפקיד במערכת, פרטית או ממלכתית, שפיקחה על הסחר במטילים.

העופרת

העופרת היא מתכת בעלת נקודת התכה נמוכה (327° צלזיוס), ומשום כך נחשבה לחומר־גלם נוח, הן בפני עצמו והן כתוספת למתכות אחרות. כבר למן התקופה הניאוליתית שימשה העופרת לעשיית חפצים קטנים. על־פי בדיקות גיאולוגיות ועל־סמך המתואר בספרות העתיקה, מכרות עופרת המתאימה לייצור חפצים מצויים היו רק ביוון, בכרתים ובאנטוליה. מיעוט מכרות העופרת בעת העתיקה וכתוצאה מכך הצורך לייבא אותה לעתים ממרחק רב, הביא לייקורה של מתכת זו. שימושה העיקרי של העופרת היה כתוספת לנחושת ולברונזה. עופרת נקייה שימשה לזיקוק הכסף ואולי גם הזהב וכן לייצור חפצים שונים, כגון צינורות, משקלות, כיסויי גגות ודגמים לפיסול.

1 מטילי עופרת

1.1 מטיל עגול
צדו האחד קמור ועליו סימן קיפרו־מינואי (?): ⅄ וצדו השני שטוח.
חוף החותרים, ק 15.5–13.5 ע 1.5–1.0
משקל 995 ג׳

1.2 מטיל חתוך
המטיל חתוך לאורכו ובמרכזו חור שנעשה בזמן היציקה ונועד, אולי, לנשיאתו על מוט.
חוף החותרים, א 12.5 ר 7.8–5.2 ע 1.5
משקל 803.4 ג׳

1.3 מטיל מלבני
בחלקו העליון של המטיל חור. אל המטיל הותכה חתיכת עופרת נוספת.
חוף כפר־סמיר, א 11.5 ר 8.5 ע 1.5
משקל 1.220 ק״ג

1.4 מטיל מלבני
בחלקו העליון של המטיל חור. לאחר היציקה חרתו עליו סימן קיפרו־מינואי (?): ⲯ
חוף כפר־סמיר, א 12 ר 7 ע 1
משקל 680 ג׳

1.5 מטיל מלבני
בחלקו העליון של המטיל חור. חלק מן המתכת נשפך, בטעות כנראה, מחוץ לתבנית. לאחר היציקה חרתו על המטיל סימן קיפרו־מינואי (?): +
חוף כפר־סמיר, א 13.5 ר 7.5 ע 1.8
משקל 1.484 ק״ג

1.6 מטיל עגול
בחלקו העליון של המטיל חור. צדו האחד קמור ועליו חרתו לאחר היציקה סימן קיפרו־מינואי (?): ⲯ וצדו השני שטוח.
חוף כפר־סמיר, ק 16–14 ע 4–0.8
משקל 3.380 ק״ג

1.7 מטיל עגול
בחלקו העליון של המטיל חור. צדו האחד קמור ועליו חרתו לאחר היציקה סימן קיפרו־מינואי (?): + וצדו השני שטוח.
חוף כפר־סמיר, ק 20–18 ע 6–0.7
משקל 6.938 ק״ג

הנחושת

הנחושת היא המתכת הראשונה שהיתה בשימושו של האדם, כבר למן האלף ה־9 לפסה״נ. בתקופה זו השתמש האדם בנחושת טבעית ממרבצים שעל פני השטח. השימוש הראשון בנחושת מעופרה כרויה (שנקודת ההתכה שלה היא°1083 צלזיוס) ובנתכי נחושת ידוע לנו רק מן האלף ה־4 לפסה״נ, ואחת העדויות החשובות לכך הם חפצי הנחושת ממטמון נחל־משמר שבמדבר יהודה.

2 מטיל מטיפוס ״עור־הפר״

בזמן היציקה הוסיפו סימן דמוי פרסה ⊖ על המטיל. צורת מטיל זה, המזכירה עור־פר פרוש, היתה אופיינית למטילי הנחושת בתקופת הברונזה המאוחרת, והוכתבה כפי הנראה על־ידי שיקולים של נוחות בנשיאת המטיל הכבד. לאחר שנוצק הועבר מטיל הנחושת מאזור הכרייה למרכז ייצור ושם הותך מחדש יחד עם בדיל למטיל ברונזה. מטילי ״עור־הפר״ היו נפוצים באגן הים התיכון: בקפריסין, כרתים, סוריה, יוון ואנטוליה. עשרות מטילים כאלה התגלו בכף־גלידוניה וכן במטען ספינה ליד קאז׳ — שני האתרים בחוף דרום־תורכיה של היום. מטילי נחושת כאלה מתוארים גם בציורי־קיר בקברי אצילים בנא־אמון שבמצרים.
חוף ״חישולי־כרמל״, א 65 ר 36 ע 3
משקל 16.5 ק״ג

הבדיל

בתחילת האלף השני לפסה״נ החלו להוסיף עד 10% בדיל לנחושת וכך יצרו את נתך הברונזה, היא המתכת הנפוצה והמקובלת עד היום. נקודת ההתכה שלה היא °843 — °1037 צלזיוס. הבדיל היה בעולם העתיק מתכת יקרה ביותר הן משום שהיתה נדירה והן משום שאזורי הכרייה שלה היו רחוקים מארצות הים־התיכון המזרחי. מקורות הבדיל עדיין אינם ידועים בבירור. באחרונה נתגלו מכרות בדיל עתיקים מן האלף ה־3 וה־2 לפסה״נ (?) באפגניסטאן ובאוזבקיסטאן. בתעודות מסופוטמיות נזכר ה״אנכו״ כמתכת שיובאה ממזרח למסופוטמיה. אם אכן האנכו הוא הבדיל, הרי זה אישור נוסף למקורו של הבדיל.

3 מטילי בדיל

3.1 מטיל עגול קמור

חוף כפר־סמיר, ק 35 ע 15 משקל 37 ק״ג

3.2 מטיל עגול קמור

המטיל חצוי במרכזו ובו חור ששימש אולי לנשיאה או לשקילה במאזני־תלייה. שני מטילים אלה הם חלק מקבוצה בת שמונה מטילי בדיל דמויי כיכר שהתגלתה ב־1983. מטען בדיל זה הוא הגדול ביותר שנתגלה עד כה. משקלם הכולל של שמונת המטילים כ־150 ק״ג. יחד עמם נתגלו גם חמישה מטילי עופרת (מס׳ 1.3—1.7)
חוף כפר־סמיר, ק 28 ע 14 משקל 27 ק״ג

3.3 חמישה מטילים חסרי צורה מוגדרת

כל המטילים קמורים בצדם האחד ושטוחים בצד השני. על שלושה מהם, בצדם השטוח, חרותים סימנים קיפרו־מינואיים (?) שנעשו לאחר היציקה: [signs]
חוף ״חישולי־כרמל״
משקל 2.240—4.245 ק״ג

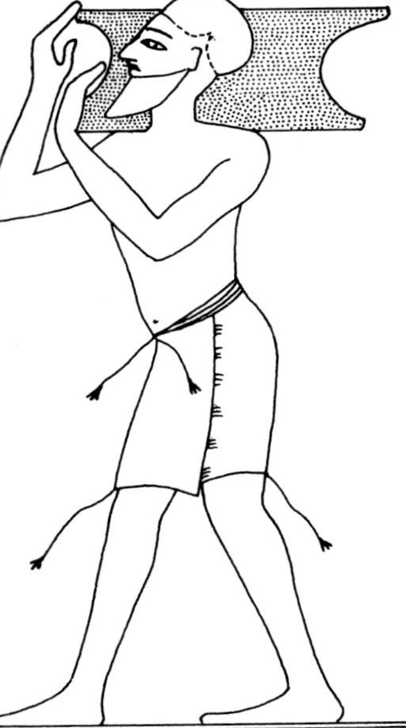

איש נושא מטיל ״עור־פר״ על שכמו, מתוך ציור־קיר מקבר אצילים בנא־אמון

חפצי ברונזה

4 **חרב־מגל**

החרב נעשתה ביציקה ובתוך הקת נשתמר העץ ששובץ בה. הלהב מעוטר בחריתות ורצועת החיבור שבין הקת ללהב מעוטרת במשולשים חרותים ונקודות דקורות. חרבות מסוג זה, המכונות על־שם צורת המגל שלהן, שימשו להכאה ולכן רק צדן הקמור היה חד ואליהן אולי מכוון הביטוי המקראי ״להכות לפי חרב״. הן נישאו, כפי הנראה, על הכתף. טיפוס זה היה נפוץ בכנען בתקופת הברונזה המאוחרת, אך הוא ידוע כבר מתקופת הברונזה התיכונה. חרב־מגל הנושאת את שם המלך האשורי אדד־נירריר הא׳ (1325 לפסה״נ) היא מן החפצים החשובים לתארוך הטיפוס למאה הי״ד לפסה״נ.

חוף כפר־סמיר, א 56 ע הלהב 1

5▷ **מעדר**

עשוי מחתיכה אחת הכוללת את הלהב ובית־הידית, שלתוכה הוכנסה ידית העץ. מעדרים כאלה נתגלו גם בספינה הטבועה שליד כף־גלידוניה ובקפריסין.

חוף החותרים, א 16 ק חלקו העליון 5.5

6 **שברים של מתגי סוסים**

מבין השברים ניתן לשחזר בבירור לפחות מתג אחד, שמידותיו הן כ־33 ס״מ. רצועת־הפה עשויה שני מוטות ברונזה מפותלים. בקציה האחד לולאה ובשני — טבעת־רסן לקשירת המושכות. מתגים מטיפוס זה נתגלו בארץ־ישראל, מצרים, אנטוליה ויוון. שברי מתגים אלה היו בוודאי חלק ממטען ברונזה שנועד להתכה.

חוף החותרים, רצועות־הלחי: א כל אחת כ־17; רצועות־הפה: א כל אחת כ־16.5

עוגנים

העוגנים שנחשפו יחד עם שלושת המטענים הם כולם עוגני אבן גדולים, שמשקלם מגיע עד 250 ק״ג. חשוב לציין שלמשקל העוגנים היה קשר ישיר לגודל הספינה שנשאה אותם. עוגנים אלה מכונים ״עוגני משקל״, משום שמשקלם הוא המעגן אותם על קרקעית הים. לכולם חור יחיד ששימש לקשירת החבל. עוגני אבן אלה אופייניים לתקופה הכנענית כולה והיו בשימוש באגן המזרחי של הים התיכון. מקורם ככל הנראה בחוף הסורי או בקפריסין.

7 **עוגן מאבן־חול**

על העוגן חרות צב־ים. העוגן שלפנינו נמנה עם קבוצה של חמישה עוגני־אבן שנתגלו ב־1978, שלושה מהם מאבן־גיר ושניים מאבן־חול, ומשקלם 105–180 ק״ג. הם נתגלו במרחק כ־25 מטר צפונית־מערבית לחרב־המגל.

חוף כפר־סמיר, א 77 ר 70 ע 20

משקל כ־170 ק״ג

ממצאים מן התקופה ההלניסטית

המאות הד׳-הב׳ לפסה״נ

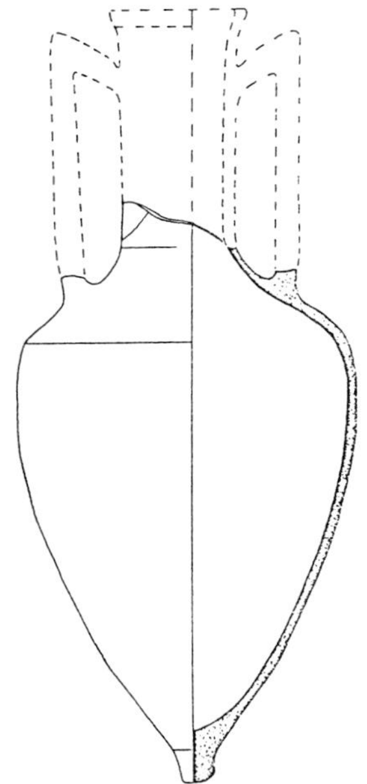

החפצים ההלניסטיים נתגלו בזמן חפירת שרידי מטען ספינה ממלוכית (ראה להלן) בשנת 1982, כ־100 מ׳ מחוף מגדים. באותה חפירה נחשפה אמפורת חרס הלניסטית שהכילה כ־100 ק״ג ברונזה. בין חפצי הברונזה היו מטבעות, שעל־פיהן תוארך זמן טעינת הספינה לסוף המאה הב׳ לפסה״נ בקירוב.
חפצים הלניסטיים וממלוכיים נתגלו באותו אזור עוד בשנת 1969 בידי חברי האגודה למחקר ארכיאולוגי תת־ימי בישראל ודייגים. בזמנו נראה היה שהחפצים ההלניסטיים היו חלק ממטענה הכללי של הספינה הממלוכית, שהובילה, כך חשבו, חפצי ברונזה עתיקים לשם התכה מחדש. אולם כיום ברור שמדובר בשתי ספינות שונות, בנות תקופה שונה: ספינה הלניסטית מן המאה הב׳ לפסה״נ וספינה ממלוכית מן המאה הט״ו לסה״נ. מטענן של שתי הספינות התערבב, כי מטען הספינה הממלוכית שקע על־גבי מטען הספינה ההלניסטית. סיבת טביעתן של שתי הספינות אינה ברורה, משום שאין באזור זה שרטונות־ים.
ממצאי הספינה ההלניסטית התפזרו על פני שטח של כמה מאות מטרים כתוצאה מסערות הים וזרמיו. הממצא העיקרי של הספינה ההלניסטית היתה אמפורת החרס על תכולתה המפתיעה. במקורה הכילה האמפורה יין ועל ידיתה היתה טביעת חותם. שרידי שרף העץ שאטם את הכלי ושיפר את טעמו של היין נשתמרו. מוצאה של האמפורה, כנראה, מן האי רודוס וזמנה המאה הג׳-הב׳ לפסה״נ. בתקופה זו פרח מסחר היין באיי יוון, באיים האגיאיים ובקפריסין. אמפורה כזאת נועדה להובלת יין פעם אחת בלבד ולאחר מכן שימשה למטרות שונות, אם כמיכל לנוזלים ואם ככלי אחסון כמו במקרה שלפנינו, אולם לצורך זה הוסר חלקה העליון.
תכולתה של האמפורה היתה, כאמור, מדהימה: חפצי ברונזה שונים, במשקל כ־100 ק״ג, שהיו דחוסים בה בצפיפות. כמה מן החפצים שוברו במכוון, כדי שאפשר יהיה להכניסם מבעד לפתחה הצר. המכלול שנתגלה היה מורכב ממטבעות, צמידים וחלקי צמידים, חלקי מתכת שנועדו לפרזול, מטילים, מאות מסמרים, ידיות לכלים, משקולת, כלי צורף, מחוגה, חצים, ידית מצקת, כף מאזניים, חפצים שונים ופסולת מתכת. כל החפצים נשתמרו בתוך האמפורה באופן יוצא מן הכלל ולא היה כמעט צורך לנקותם מתחמוצות.
מלבד האמפורה נמשו מן הים מאות שברים של חפצי ברונזה השייכים גם הם לאותה ספינה הלניסטית, ביניהם חלקי פסלים, אצבעות רגליים וידיים, קווצות שיער, אוזן ואבר־מין גברי. חלקם שייכים היו לפסל שגודלו היה למעלה מכפליים מגודל אדם. חלקי הכלים שנמצאו כללו ידיות ובסיסים, נר, ״כפתורים״ עיטוריים, צמידים, מאות מסמרים, חלקי ריהוט ועוד. החפצים שנתגלו מחוץ לאמפורה אוחסנו כפי הנראה בתוך מיכלים — אם באמפורות בשימוש משני ואם בסלים ובקופסאות מחומרים מתכלים, שנקרעו או נשברו ולכן נתפזרה תכולתם על קרקעית הים.
מפאת שפע הממצאים וקוצר היריעה, לא נוכל לדון בכל חפץ וחפץ בנפרד ולהלן יידונו רק החפצים שהיו בתוך האמפורה. רוב החפצים הללו נתגלו שבורים או בחלקיהם והדבר מאשש את ההנחה שמטען הספינה ההלניסטית נועד כולו להתכה. על כמה מן החפצים, כגון הצמידים, חלק מהנעצים וכף המאזניים, ניתן להבחין בשרידי ציפוי בעלה זהב, שהוסר במתכוון לפני שנאספו להתכה.
תעשיית חפצי הברונזה שגשגה והתרחבה עם עלייתו של אלכסנדר הגדול, שהביא להתפשטות התרבות היוונית ברחבי העולם הקדמון. במזרח ובמערב עלו והתחזקו מרכזי תעשייה חדשים — כך באסיה הקטנה, במצרים ובאיטליה. רמת־חייו של הפרט עלתה ועמה הדרישה לחפצי ברונזה, לרבות פסלים, שהיו עתה לא רק רכוש רשויות השלטון.
שלהי המאה הב׳ וראשית המאה הא׳ לפסה״נ היתה תקופת פריחה ושגשוג של ערי חוף ארץ־ישראל־סוריה. ערים כמו צור, צידון, עכו ועזה היו אוטונומיות וניהלו מסחר חופשי, בלא כפיפות ישירה לשלטון מרכזי.

9.2

9.1

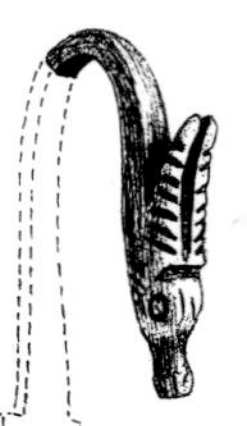

שאלה מעוררת סקרנות היא, לאן היו מועדות פניה של הספינה ומי סחר בה? אין בידינו תשובה על כך, כמובן, אך מותר לנו לשער שהיא הפליגה בעקבות הזמנה לברונזה להתכה מעיר פלונית לעיר אחרת, שהיתה זקוקה למתכת זו. ואולי לפנינו מקרה דומה למקרה הספינה הכנענית, שבעליה היה סוחר מתכת העובר מעיר לעיר, מוכר וקונה פסולת מתכת לשם התכה. הנחה זו, אם אמנם נכונה היא, מתאימה למצב הפוליטי ששרר בחוף ארץ־ישראל, שבו רוב הערים נהנו מעצמאות מלאה כמעט. ברור, מכל מקום, שאחת הערים שממנה נלקחו חפצי המתכת היתה עיר גדולה, וזאת בגלל האיכות המעולה של חלקי הפסלים וגודלם העצום של השברים. פסל כזה, שהיה יקר מאוד, הוצב מן הסתם בעיר גדולה וחשובה.
אסנת מיש־ברנדל ואהוד גלילי

האמפורה ותכולתה

8 אמפורה בשימוש משני
האמפורה עשויה טין ורדרד־צהבהב. גופה אגסי ומסתיים בבסיס מחודד. חלק מן הצוואר והידיות חסרים.
ג 68 (החלק ששרד)

9 שבעה מטבעות

9.1 שני מטבעות של תלמי ה־VIII אברגסט הב׳ (116-145 לפסה״נ), מיטבעת קפריסין

9.2 מטבע של דמטריוס ה־II (?), שנת 150 (לפי המניין הסלווקי = 162/1 לפסה״נ), מיטבעת צור

9.3 מטבע של אנטיוכוס ה־VII אברגטס (136/5 לפסה״נ), מיטבעת אנטיוכיה

9.4 מטבע יווני, מיטבעת ליקיה
שני מטבעות נוספים אינם ניתנים לזיהוי.

▷ **10 ידית מצקת**
רק חלקה העליון של הידית נשתמר. הידית, שהיתה בעלת חתך ריבועי, מסתיימת בצורת לולאה ומעוצבת כראש בעל־חיים בעל קרניים, אולי יעל/עז. פרטי בעל־החיים מתוארים בחריתה: העיניים מעוגלות, הפה מודגש, הקרניים והצוואר מודגשים בקווים מלוכסנים.
שחזור המצקת נעשה על־פי שתי מצקות דומות ביותר שנתגלו במערת קברים בעין־גדי מסוף התקופה ההלניסטית (המאות הב׳-הא׳ לפסה״נ).
שבר א 4 ע 0.5

11 שני חצים "הלניסטיים"
שני החצים בעלי להב משולש מחודד, רכס במרכזם ובליטה בחיבור שבין התקע ללהב; הלהב מסתיים בשני קצוות ארוכים מחודדים. תקע החץ הורכב לתוך קנה או מקל. חצים אלה אופייניים לתקופה ההלניסטית (המאה הד׳-הב׳ לפסה״נ), ונמצאו באתרים רבים ברחבי העולם ההלניסטי וגם בארץ־ישראל. חצים כאלה נמצאו למשל בביצורי עכו ההלניסטית, בדור ובמצודה בירושלים והם מתוארכים לסוף המאה הג׳—המאה הב׳ לפסה״נ.
חץ בעל תקע ישר: א 8.5, קצהו שבור
חץ בעל תקע מכופף: א 5.7

12 ידיות מיטלטלות
אלו הן ידיות לכלים קטנים, כגון סיטולות (כדים קטנים) וקופסאות, שחוברו אל טבעות או לולאות שהיו קבועות על־גבי הכלי. ידיות מיטלטלות היו נפוצות ביותר בתקופות הקלאסית וההלניסטית ואף בתקופה הרומית. ניתן להבחין בשלושה טיפוסי ידיות:

12.1 שמונה ידיות בעלות חתך מעוין. קצות הרצועה מופנים כלפי מעלה ומסתיימים בלולאות מעוטרות בתבליט.
א 2.8—6.0 ע 0.2—0.45

12.2 שש ידיות מרצועה שטוחה. קצות הרצועה המחודדים מופנים כלפי מעלה ומסתיימים בלולאות מעובות.
א 5.5—8 ע 0.1

12.3 ידית־קשת בעלת חתך עגול. קצות הידית ומרכזה כפופים ויוצרים שלוש לולאות קטנות. שרידי ציפוי זהב.
א 6.5 ע 0.3

13 מסמרים

מגוון צורותיהם רב ביותר. במסמרים הארוכים עמוד המסמר עגול בקצהו העליון ונעשה מזווה ומתחדד לקראת קצהו. במסמרים הקצרים לעמוד חתך ריבועי. רוב ראשי המסמרים קמורים קמעה, אך יש גם בעלי ראש פטרייה. המסמרים היו בשימוש לפני שנאספו לספינה, וניכר בהם שנעקרו או נתלשו במכוון מחפצים שונים, שכן רובם שבורים ועקומים.

א 2.5–26

14 נעצים

14.1 עשרות נעצים שנועדו כנראה לחיבור לוח עופרת לתחתית ספינה כדי למנוע חדירת מים.

14.2 שנים־עשר נעצים מוזהבים ששימשו לחיזוק ולעיטור. חתך העמוד ריבועי.

א 1.5–2.5 ק הראש 08–1.8

14.1

14.2

15 מהדקים לאבני־בניין

שני מהדקים עשויים מוט יצוק בעל חתך ריבועי שקצותיו כפופים כלפי מטה בזווית ישרה. במהדקים מסוג זה השתמשו בעולם העתיק בבנייה באבן ללא טיח כדי לחזק את החיבור שבין שתי אבנים סמוכות. את המהדק היו קובעים למקומו בעופרת יצוקה. שיטת בנייה זו ידועה כבר למן האלף ה־3 לפסה״נ במצרים, בתקופת הממלכה הקדומה, והיתה נפוצה בפרס האחמנית וביוון הקלאסית, ועד התקופה הביזנטית.

15.1 מהדק שלם, לאורך צדו הפנימי ניכרים סימני הכאות.

א 30 ג 5–6 ר 2–4.5

א הקצה המכופף 2.5

15.2 מהדק שבור, על חלקו העליון חרותות אותיות : B

א 16 ג 4 ר 1.5–2.5

א הקצה המכופף 1.7

16 שישה־עשר מטילים רבועים

המטילים נוצקו כנראה לתוך דפוסים פתוחים. על רובם ניכרים סימני הכאה בפטיש, כנראה כדי לנקות את המתכת מתחמוצות שונות. סוגי פטישים שונים שימשו להכאה וייתכן שהדבר מרמז על כך שאנשים אחדים עסקו בעבודה זו. אפשר, אולי, ללמוד מכאן על גודלו של בית־היציקה שבו נעשו. על רוב המטילים גומה משולשת או עגולה, שנחרצה בהם כדי לבדוק את מוצקות המתכת, ועל שלושה מטילים אותיות שנטבעו בזמן היציקה : BA

בדיקת משקלם של המטילים מגלה גיוון המעיד על שיטות משקל שונות. כנראה שמקורם בבית־יציקה גדול באחת מערי החוף, שבו ייצרו מטילים בהתאם לדרישות המיוחדות של הלקוחות השונים.

שטח 8.2×8.2–8.8×8.8 ע 1.2–1.5

משקל 630.5–823.8 ג׳

17 משקולת מרובעת

על המשקולת הזעירה חרותת מנוקדת של האות A המייצגת את הערך 1. זוהי משקולת הדרכמה, יחידת המשקל שהיתה נהוגה ביוון.

שטח 1.1×1.1 ע 0.4 משקל 4.2 ג׳

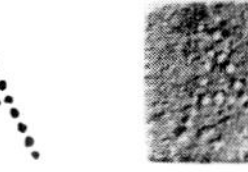

13

18 ▷ **עטרה**
לעטרה צורת זר שממנו השתמרו 7 עלים ו־3 קטעים מן הגבעול, ששימש כתושבת העטרה. הגבעול עשוי מרצועת ברונזה מוזהבת שגוללה לצינור בקוטר 0.5 ס״מ ואורכו הכולל ששרד כ־24 ס״מ. בתוך הגבעול נקבים במרחק 2 ס״מ זה מזה, שאליהם הוכנסו העלים. העלים הם עלי הדס (?) דמויי חנית עשויים לוחיות ברונזה דקות מצופות זהב, ובמרכזן בולטת שדרת העלה.
העטרה ניתנת לשחזור על־פי עטרות אחרות שנמצאו. היא היתה מורכבת משתי קבוצות עלים שנפגשו מעל המצח ונקשרה מאחור בשרוך או בסרט. עטרות המתכת חיקו זרים טבעיים מסוגים שונים שהוענקו למנצחים כאות של כבוד. עטרות קישטו ראשי אנשים חיים והונחו על ראשי נפטרים כסמל נצחון ועיטרו גם ראשי פסלים.
עטרות־זרים ניתנו גם כמתנות במקדשים. במטען נמצא אף עלה זית (?), שהיה שייך כנראה לעטרה אחרת.

19 **לוחיות מלבניות מחוררות**
מצדה האחד של כל לוחית נקרע חלון רבוע על־ידי ניקוב חורים ב־4 פינות והכאה בין החורים (בשלוש לוחיות החור עגול). מצדה השני היתה מחוברת אליה בשלושה מסמרים לוחית נוספת. נמצאו במטען עשרות לוחיות כאלו, כולן היו בשימוש ונתלשו במכוון מהחפץ שאליו היו מחוברות. שימושן אינו ברור.
שטח 13.5×14–6.5×20   ע 0.2–0.5

20 **חמישה פינים מפוצלים** ◁
קצות הפין נתחבו דרך נקב אל תוך כלי או חפץ אחר ואז פושקו לצדדים בזווית ישרה כדי לקבוע את הפין במקומו.
פין קטן נוסף נמצא מחובר אל קופסה קטנה (?)
א 5.3   ע 0.3

21 **שבר של המטיון מפסל אשה (?)**
השבר הוא משולי המטיון (אדרת) שנלבש על הכיתון, הבגד ההלניסטי האופייני. הוא היה מעוטר בחוט כסף ששובץ בברונזה בדגם של מקלעות צמחיות בסגנון האופייני לתקופה ההלניסטית ולכן מתוארך הפסל למאות הד׳-הג׳ לפסה״נ.
איכות הביצוע של שבר פסל זה מעולה. שיבוץ כסף בפסלי ברונזה היה דרך עיטור מקובלת בפיסול הן בתקופה הקלאסית והן בתקופה ההלניסטית, אך בפועל נתגלו רק מעט מאוד ממצאים כאלה. זהו כנראה שבר ההמטיון מברונזה היחיד המשובץ כסף שנתגלה עד כה ומכאן חשיבותו. ראשו של פסל ״הרכב מדלפי״ שמן המאה הה׳ לפסה״נ מעוטר בסרט משובץ בחוט כסף דמוי מיאנדר ובאולימפיה נמצאו חלקי חגורה של פסל ברונזה מן המאה הד׳ לפסה״נ משובצים בחוטי כסף. השבר שלפנינו שוחזר במעבדות מוזיאון ישראל מ־12 חלקים ששוברו במכוון, כדי שאפשר יהיה להכניסם אל תוך האמפורה.
חבל שאיננו יודעים מה עלה בגורלו של הפסל המפואר שהמטיון זה היה חלק ממנו. מכל מקום, בזמן שנלקט לתוך האמפורה היה ערכו כגרוטאה — חומר־גלם לצורך התכה מחדש.
א 95

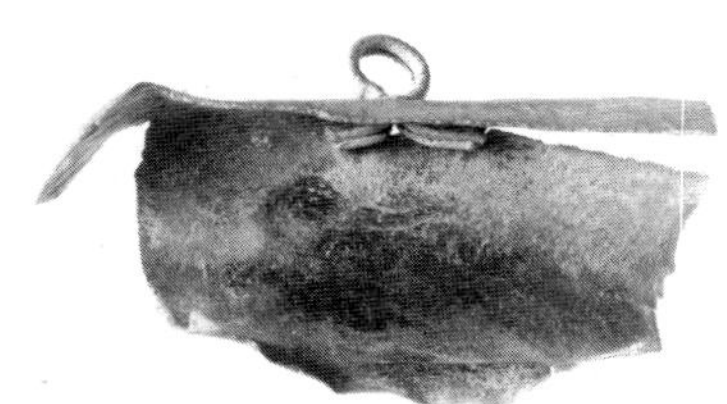

22 צמידי צינוריות
Circular bracelets

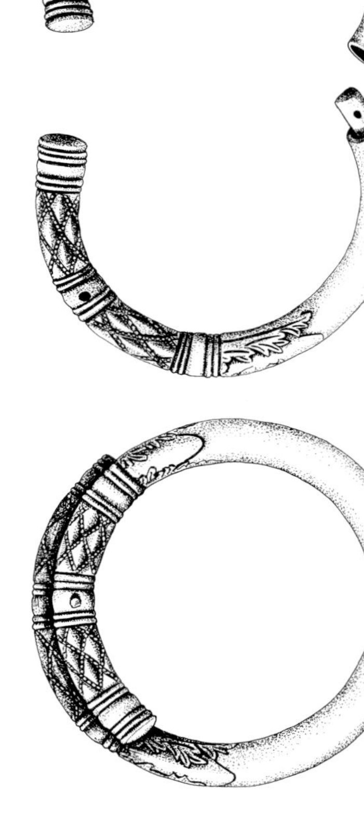

22 ▷ **צמידי צינוריות**
שני צמידים שלמים ו־22 חלקי צמידים. על כל הצמידים שרידי זהב המעידים כי היו מצופים בעלי זהב. הצמיד מורכב משתי צינוריות מעגליות זהות בגודלן. אחת הצינוריות חלולה בקציה האחד והשנייה מתחברת אליה בעזרת פין מצולע מחוזק במסמרון. קצותיהן השניים של הצינוריות חסומים וחופפים זה לזה בחלקם. גם צד זה חוזק במסמרון. סגנון העיטור דומה בכל הצמידים, להוציא שני חלקי צמידים. העיטור מכסה שליש מאורך הצמיד ומחולק בעזרת קווים מחורצים לשלושה שדות — שניים מעוטרים במעוינים או בדגם רשת ואחד בעלה מסוגנן. שני חלקי הצמיד האחרים עבים וכבדים יותר והם מעוטרים לכל אורכם בדגם "עיני טווס" ומסתיימים בקצה האחד, הסגור, במעין ראש חיה בעלת שתי עיניים (נחש?).
צמידים מעין אלה, המורכבים משני חלקים, ידועים בעולם ההלניסטי אך נמצאו רק דוגמאות מועטות. צמיד אחד כזה נתגלה בווני שבקפריסין. דוגמה לעיטור דומה מצויה על צמיד ברונזה מיוון בגלריית וולטר לאמנות בבלטימור.
ק 9.9–4.0 ע 1.4–0.3

23 **צמידי חוטים שזורים**
הצמידים מצופים היו בעלי זהב. המוט עשוי משניים או שלושה חוטים שזורים המסתיימים בקצה מחודד, מעוטר בדגם קשקשים חרותים. צמידי חוטים שזורים מוכרים היטב בעולם ההלניסטי ובדרך כלל הסתיימו בקצותיהם בראש בעל־חיים.
צמיד מעוגל: ק 7.5 ע 0.7 היקף 24
שלושה מוטות צמידים: א כ־22 ע 0.5
מוט צמיד משני חוטים: א 13 ע 0.3

24 **שבעה־עשר מוטות לצמידים**
על המוטות שרידי הזהבה בעלה זהב.
א 13–25 ע 0.3–0.7

ראוי להדגיש ששלושת סוגי הצמידים, אף שהם מוכרים במכלול הצמידים בעולם ההלניסטי, כולם נדירים ויוצאי־דופן. משום כך העלו כמה חוקרים סברה, שאולי אין אלו צמידים כלל אלא ידיות של חפצים שונים. אך גם במקרה זה יהיה הממצא חריג ויוצא־דופן בעולם ההלניסטי.

בתוך האמפורה נמצאו חפצים שונים השייכים כנראה למכלול כלי צורף. נפרט להלן כמה מהם.

25 **מחוגה**
המחוגה מורכבת משתי זרועות שטוחות. בצדה החיצוני, הקמור קמעה, של כל זרוע, מתחת לנקב החיבור, חרות סימן. שתי זרועות המחוגה היו מחוברות כנראה בפין ברונזה. מחוגות מסוג זה ידועות היו בעולם הקלאסי וההלניסטי ונתגלו למשל בדלוס, בפומפיי, ובאתרים שונים במצרים.
א כל זרוע 10.5 ע 0.2

26 **כף מאזניים (?)** מלוחית עגולה מוזהבת בחלקה החיצוני ולה 3 חורים.
ק 8.5

27 **שלוש מפסלות** לריקוע ולגילוף
א 9.5–11.2 ע 0.4–0.7

28 **שני מכשירים** מחודדים בקצותיהם, האחד שבור
א השלם 8.9 ע 0.2–0.4

29 **מקל כחל לעיניים**
א 10.4 ע 0.2

30 **קרס חכה** לפני שכופף
א 9.2 ע 0.2

מלבד כל אלה נמצאו באמפורה שברים וחלקי פסולת רבים נוספים מברונזה, רובם קשים לזיהוי.

פרט מתוך עיטור הכד (39.3)

ממצאים מן התקופה הממלוכית

המאה הט״ו לסה״נ

ראשיתה של החפירה התת־ימית במטען הספינה הממלוכית מול חוף מגדים היתה בשנת 1969, כאשר כמה מטבעות ממלוכיים נמשו מהים וכמה מכתשים ועליים נשלו בידי דייגי הסביבה. המטען כוסה שוב בחול עד שב־1982, לאחר סערת חורף בים, נתגלה המטען בשנית במהלך צלילת פיקוח, כאשר כמה גושי מטבעות וכלי ברונזה נראו פזורים על קרקע הים.

רובו של המטען נמצא מרוכז בשטח של 30×30 מ׳, הוא המקום שבו נטרפה, קרוב לוודאי, הספינה. חלקי המטען הקלים נסחפו בזרמי הים והגלים צפונה ומטען המתכת הכבד שקע במקום, על שכבת החרסית שמתחת לחול. פרט לכמה צלעות עץ מגוף הספינה, שנלכדו מתחת למטען כבד, לא נותר מהספינה דבר. המטען כלל כלי ברונזה, שקי מטבעות מנחושת, זוג אבני־ריחיים מבזלת וגוש ברזל שהיה אולי שק מסמרים. את כלי הברונזה ניתן לחלק לטיפוסים עיקריים: כלי תאורה, מכתשים ועליים, כלי־בית, כף מאזניים ולבסוף עיטורי דלתות וקופסאות.

המטבעות אפשרו לנו לתארך את המטען לתקופה הממלוכית, ימי שלטונו של הסולטאן פרג׳ (1412-1399).

הממלוכים השתלטו על מצרים ב־1250 ושלטו בה ובארצות הסמוכות לה כ־250 שנה, עד לכיבוש העות׳מאני ב־1517. במוצאם היו הממלוכים עבדים, זרים במזרח, שהובאו לממלכה המוסלמית ממערב הערבה המרכז־אסיאנית כבר במאה הט׳ כדי שישרתו בצבא. הם הקימו שלטון צבאי־פיאודלי, ששלט על כל מגזרי החיים במדינה ותודות למינהל היעיל פרח המסחר בימיהם והשלטון צבר עושר רב. בשיאה היתה המדינה הממלוכית לאחת האימפריות החזקות בימי־הביניים והשתרעה מדרום אנטוליה על פני סוריה ארץ־ישראל, עבר־הירדן, חג׳אז ועד לסודאן הגיעה.

שלושה מפעלים חשובים נזקפים לזכותה: בלימת ההתפשטות המונגולית דרומה, גירוש אחרוני הצלבנים מארץ־ישראל והעברת החיליפות המוסלמית מבגדאד למצרים ובכך הפיכת מצרים למרכז העולם המוסלמי.

מטען הספינה המוצג כאן הוא, כאמור, מימי הסולטאן פרג׳, שנמנה עם השושלת הבורג׳ית (1517-1382), שמוצאה צ׳רקסי מן הקווקאז.

אל־מלכ אל־נאצר פרג׳ היה הסולטאן הממלוכי העשרים ושישה ובנו בכורו של הסולטאן ברקוק, מייסד השושלת הבורג׳ית. פרג׳ היה עסוק רוב שלטונו במלחמות בזירה הסורית, שהראשונה בהן היתה הפלישה המונגולית ב־1400. בימיו נחלשה כלכלת הממלכה בגלל הוצאות הצבא, איבוד הכנסות ממסחר וממסים והפחתת ערך הכסף. ב־1412 הומת בידי מושל דמשק.

מטען המטבעות שהיה בספינה עזר לנו בפתרון חלקי של תעלומת מסעה. היא טבעה סמוך לשנת 1404 — התאריך המאוחר ביותר המופיע על המטבעות. כל המטבעות נטבעו במיטבעות סוריה ומכאן ניתן להניח כי מסלול נסיעתה היה מסוריה דרומה. חשוב לציין שמטענה היה כבד מאוד וקשה היה להעבירו ביבשה אפילו כברת־דרך קצרה. קשה לקבוע בוודאות האם הספינה טבעה משום שנטרפה או שהותקפה ונשדדה. באותה תקופה היו שכיחים שוד־הים והתקפות של צי נוצרים מרודוס ומקפריסין על חופי סוריה וארץ־ישראל. הממלוכים, שהיו צבא יבשה מובהק, הכירו בעליונות הימית של הפרנקים וכך, כדי להגן על הארץ, הרסו באופן שיטתי את ערי־החוף וביצוריהן. הרס זה של ערי־החוף והנמלים תרם להחלשת הנתיב הימי ואפשר לספינות הפרנקים לשדוד אפילו ספינות העוגנות בנמל.

מתוך ממצא כלי המתכת, המוגבל מאוד בסגנונו ובמגוון סוגיו, ניתן להניח כי המטען נועד למבנה ציבורי. גם שקי הכסף נועדו כנראה לתשלום משכורות לבניין או לאחזקת המבנה. הממלוכים הרבו להקדיש הקדשים לטובת הכלל. מחויבותם העמוקה לדת האסלאם וכן האיסור להוריש את נכסיהם לבניהם, עודדו אותם לבנייה ציבורית כגון בתי־ספר, בתי־מרחץ, בתי־תמחוי, אכסניות ומסגדים וכן לשיפוץ המבנים הקיימים. למבנים אשר בנו או שיפצו נהגו הממלוכים להקדיש רהיטים ועיטורים, בהם דלתות מעוטרות, חלונות, מנורות לסוגיהן, קופסאות לקוראן וכדומה.

סברה אחרת היא כי הכסף שבמטען הספינה היה כספי מיסים מאת תושבי הפרובינציה לממשל

בקאהיר. כלי מתכת, בעיקר מכתשים ופמוטים, שימשו באותה תקופה לתשלום, כמו מטבעות, שכן האינפלציה היתה כה גדולה עד כי ערך הכסף היה כערך המתכת. סברה זו מסבירה את העובדה שחלק מהחומר נמצא מעוך ושבור — מן הסתם במצב זה נשלח מלכתחילה.

קבוצת כלי המתכת משקפת בטיפוסיה ובעיטוריה את מכלול כלי המתכת שהיה שכיח בתקופה הממלוכית, והיא כוללת כלים שנוצרו במשך כמאה שנים. למרות מגוון הטיפוסים המצומצם, ניתן להבחין בשוני באיכותם האמנותית — חלקם מעוטר בשפע ובהידור, חלקם עשוי ברישול וחלקם אינו מעוטר כלל.

ממצא ארכיאולוגי דומה מאותה תקופה נתגלה בחפירות חמה ובעלבק שבסוריה.

העיטור של קערה לאיסוף שעווה (34.1)

אמנות המתכת בתקופה הממלוכית

אמנות המתכת הגיעה בתקופה הממלוכית לשיא שגשוגה ופריחתה באסלאם הודות לפטרונותם הנלהבת ולעידודם הנמרץ של הסולטאנים הממלוכים ולעושרו של השלטון. בראשיתה המשיכה את המסורת האיובית, אך כבר מתחילת המאה הי״ד החל להתפתח סגנון העיטור אשר אפיין וייחד את עבודות המתכת הממלוכיות. עיטור בדמויות אדם, שהיה שכיח בתחילת התקופה, הלך ונעלם. לצד הדגמים הצמחיים המסוגננים והערבסקות, שהיו דומיננטיים במרוצת כל התקופה, נוספו דגמים חדשים, נטורליסטיים, בהם פרחי לוטוס ואדמונית (מס׳ **34**.1) וכן ציפורים וחיות פנטסטיות כגון הפניקס. דגמים אלה שאובים מן האמנות הסינית והגיעו למזרח הקרוב עם הכיבוש המונגולי והצפת השוק באריגים ובקרמיקה מסין.

עיטור חשוב בתקופה זו היו הכתובות, שהצטיינו בגודלן ובסגנונן הנסחי־ת׳ולות׳. כתובות אלה פירטו לעתים את שמות הסולטאנים ותואריהם, וכן את שנת ייצור הכלים ושמות האומנים. אולם העיטורים החשובים ביותר לתקופה, המאפיינים אותה, הם הסמלים ההראלדיים הנתונים בתוך מדליונים.

סמלי שלטון הראלדיים היו קיימים באסלאם עוד קודם לכן, אולם זוהי הפעם הראשונה שהם באים לסמל בעל תפקיד או נושא משרה ולעטר את רכושו. סמלי המשרות השכיחים היו גביע — לשר המשקים, וכן מפית — סמלו של האחראי על בגדי חצר־המלכות, לפי דוגמה בודדת שנמצאה במטען שלפנינו. ⌀

טכניקת העיטור השכיחה היתה חריתה ושיבוץ מתכות יקרות — כגון כסף וזהב — בברונזה. הדרישה לכלים משובצים ונוצצים הלכה וגדלה בתקופה זו. אומני מוצול, שהתמחו בטכניקת השיבוץ, העבירו את מסורתם, לאחר שהיגרו ממוצול בעקבות הפלישה המונגולית, למרכזי הייצור של חאלב, דמשק וקאהיר. בשלושה מרכזים אלה התפתח דור חדש של אומנים מקומיים שקשה מאוד להבחין בין מוצריהם. לאחר שהמונגולים פלשו לחאלב ולדמשק ב־1400, הפכה קאהיר להיות מרכז הייצור החשוב, אך מרכזי הייצור בסוריה המשיכו לפעול והמטען שלנו הוא הוכחה לכך.

ייצור כלי המתכת החל לשקוע ברבע האחרון של המאה הי״ד. הפסקת התמיכה הממלכתית והדרדרות המצב הכלכלי באימפריה הפחיתו את הדרישה לכלים גדולים ומפוארים. שיבוץ כלים נעשה שכיח פחות ופחות וטכניקת החריתה היתה לדומיננטית. תקופת פריחה קלה וקצרה חזרה בימי קאיתבאי (1496-1468).

נעמה ברוש

כלי־תאורה

פרט לשימוש היום־יומי בכלי־תאורה בבתים פרטיים, היה להם שימוש רב במבנים ציבוריים כגון מסגדים, בתי־ספר וכדומה. במבנים אלה השתמשו לתאורה בפמוטים, כני־מנורה ובמנורות תלויות מזכוכית ומברונזה. מטען הספינה כלל פמוטים, כני־מנורה ואביזרים לתליית מנורות.

31 **פמוטים**

שלושה פמוטים עשויים ביציקה.
גוף דמוי פעמון ולו בסיס בולט, דפנות קעורות במקצת, כתפיים בולטות ובית־נר גבוה יחסית לגוף. פמוט אחד מעוטר בחריתה על גופו, ושני האחרים חסרי עיטור. פמוטים שימשו להכנסת נר שעווה והיו נפוצים במבני־קבר ממלוכיים בסוריה ובמצרים. הם עיטרו והאירו את שני צדי גומחת התפילה (מחראב) שבמקום. נפוצים היו טיפוסים שונים של פמוטים, מהם שנעשו ביציקה ומהם בריקוע. הפמוטים שלפנינו עשויים בסגנון ממלוכי מאוחר. על־פי המקורות, היתה תעשייה משגשגת של פמוטים בדמשק בסוף המאה הי״ג. אל־מקריזי, היסטוריון בן המאה הט״ו, מספר כי הסולטאן אלאשרף חליל בן קלאון שישב בקאהיר ציווה על וזירו ב־1293 להזמין מדמשק מאה פמוטי נחושת הנושאים את תואר הסולטאן ועוד חמישים פמוטי כסף וחמישים פמוטי זהב. דמשק היתה ידועה באותה תקופה גם בנרותיה המשובחים.
ג 20–22 ק הבסיס 19.5–22

כני־מנורה

לא נמצא במטען אף כן־מנורה שלם אחד, ונראה כי מלכתחילה היו הכנים מפורקים לבסיסים, קנים וקערות. מתוך חלקיהם ניתן להבחין בשני סוגים: כנים בעלי מגשים לנשיאת נרות וכנים בעלי חוד לתקיעת נר. שניהם היו בשימוש בכל רחבי האימפריה המוסלמית מאז התקופה הקדם־מוסלמית. אף שהכנים בעלי החוד היו פחות שכיחים. במכלול שלנו סוג זה הוא הדומיננטי. מחלקי הכנים, העשויים כולם ביציקה, ניתן להרכיב שני טיפוסי כנים שונים.

32 **כנים בעלי בסיס** הנשען על שלוש רגליים דמויות רגלי בהמה, קנה מורכב משלושה כדורים מחוברים בדיסקות ועליו מורכבת צלחת שטוחה שלה שפה מוגבהת להנחת נר החרס או המתכת. החלקים השונים מתחברים זה לזה בהברגה או בהלחמה. מטיפוס זה נמצאה דוגמה אחת בלבד, בלא הבסיס.
ג 30 בקירוב

33 **כנים בעלי חוד** לתקיעת נר שעווה

33.1 טיפוס זה, גם הוא מבוסס על שלושה מרכיבים:
בסיס וקנה דומים למס׳ 32 וקערה לאיסוף השעווה הנוזלית.
ג 30 בקירוב

33.2 בטיפוס זה הקנה גדול מאוד ומורכב משלושה חלקים, והמרכזי חלול.
ג כ־100 בקירוב

33.3 כנים דקים בעלי חוד והברגה להרכבת קערה (על אחד הכנים שרידי קערה שנוצקה כיחידה אחת עם הקנה). לכנים אלה בסיס בצורת טרפז מונח על חצובה מעוצבת כרגלי בהמה מסוגננות. מצדי הטרפז יורדת נטיפה — זכר לניצני הפרחים מהתקופה הביזנטית. טיפוס זה היה נפוץ במאה הי״ד בסוריה ובמצרים.
ג 30 בקירוב

35.1

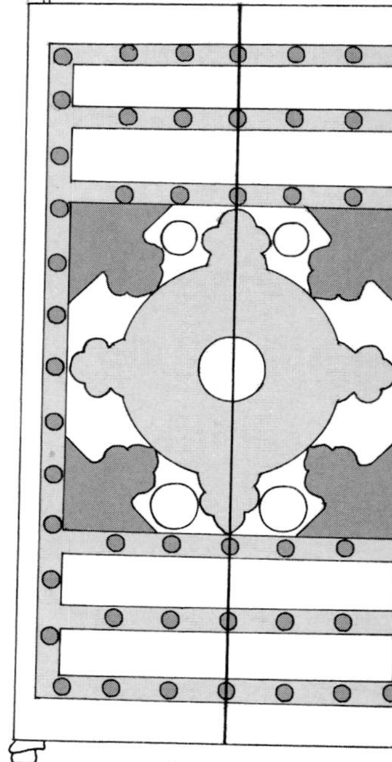

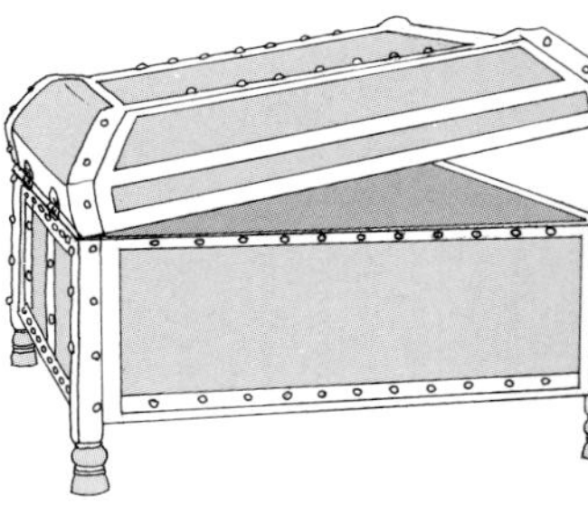

לת וקופסת קוראן מעץ מעוטרות בעיטורי
־רונזה

34 קערות לאיסוף שעווה
כל הקערות בעלות חור במרכזן, כדי להרכיבן על חוד הכן. הן שונות בגודלן ובעיטוריהן: אחת מעוטרת בשיבוץ עלה כסף חרות (**34**.1), אחרות בחריתה (**34**.2) ואחדות ללא דגם.

35 אביזרים לתליית מנורות

35.1 קרס לתליית מנורה א 20

35.2 חלק משרשרת לתליית מנורה א 30

35.3 מתקן לתליית מנורות (?) ג 24

חלקים אלה נועדו, קרוב לוודאי, לתליית מנורות ברונזה גדולות.
מנורות תלויות מזכוכית וברונזה היו אמצעי התאורה הנפוץ ביותר בתקופה המוסלמית.

36 מכתשים ועליים
המכתשים בעלי גוף מתומן ולרובם ידית אחת או שתיים בצורת טבעת היוצאת מתוך ראש אריה מסוגנן (רק בחלקם שרדו הטבעות).
אחד המכתשים מעוטר על כל צלעותיו בדגם ניצני לוטוס, דגם שהיה נפוץ באמנות המתכת המוסלמית הקדומה בהשראת המסורת הסאסאנית־איראנית.
כל המכתשים שנמצאו כאן מחקים בצורתם מכתשים ממסופוטמיה מן המאה הי״ג לסה״נ. מכתשים מברונזה לא היו ידועים בתקופה הקדם־מוסלמית וקרוב לוודאי שהם נוצרו לראשונה באיראן בסביבות המאה הי׳ בהשראת כלים דומים מאבן. המכתשים נועדו לכתישת כמות קטנה של אוכל, למשל תבלינים, או להכנת תרכובות כימיות ולכתישת צמחים וחומרים לתרופות בבתי־חולים ובבתי־מרקחת.

10 מכתשים ק 14.5–19.5 ג 9–13.5

9 עליים א כ־24 (5 מהם שבורים)

37 עיטורים לדלתות
במטען האנייה נמצאו כמה עיטורי דלתות, כולם עשויים ביציקה, מהם עיטורים לחור המנעול, מקש (**37**.1) ועיטורים למשטח הדלת (**37**.2). מעניינים במיוחד הם שני אריות (**37**.3), המהווים חלק מתמונת עיטור צמחי שבתוכה משובצות חיות.
עיטור דלתות עץ בציפויי ברונזה או מתכת אחרת, למשל כסף, היה מקובל באמנות האסלאם כבר בתקופה קדומה. בתקופה הממלוכית היו עיטורים אלה נפוצים מאוד, בעיקר בדלתות חזית. דלתות מעוטרות בדרך זו ניתן למצוא עד היום.
הדלתות, שהיו עשויות מקורות עץ, חוזקו במסגרת ברונזה מאחור ובחלקן הקדמי צופו בלוחות ברונזה. על לוחות הברונזה הללו הצמידו עיטורים מעשה סבכה עשויים ביציקה או בריקוע. שטח הדלת נחלק לכמה אזורי עיטור עיקריים: מסביב לחור המנעול, בארבע פינות הדלת, במרכז הדלת ומסביב לשוליה, ולעתים כיסה העיטור את פני כל שטח הדלת. במרכז הדלת הותקן מקש ומתחתיו לוח מתכת. נושאי העיטור היו דגמים צמחיים, בעיקר שריגים, שהורכבו בחלקים והצטרפו לתמונת ערבסקות. העיטורים הוצמדו לדלת בעזרת מסמרים, לעתים בעלי ראש בולבוסי.

38 עיטורים לקופסאות
עם עיטורי הדלתות נמצאו עיטורים שגודלם הקטן העיד עליהם ששימשו לקופסאות ולא לדלתות. אלו הן קופסאות גדולות לקוראנים, מעץ וממתכת, שהיו נפוצות מאוד בתקופה הממלוכית ושימשו בעיקר במבנים דתיים. הן עוטרו בעיטורי ברונזה מעשה סבכה בדומה לדלתות.
הצירים היוו פרט חשוב בעיטורי קופסאות אלו.

39 כלי־בית

נוסף על כל אלו נמצאו במטען כלים שניתן לסווגים ככלי־בית.

39.1 **אגן** ובו שיירי חרובים ק 70

39.2 **שבע ידיות פכים** ג 15–27

39.3 **כד** ג 18

39.4 **קערה** ק 20.5 ג 10.5

39.5 **שני כנים למגשים** ק 14.5 ג 15

כל הכלים אופייניים לתקופה הממלוכית. הקערה, העשויה ביציקה, מחקה בצורתה קערות קרמיקה בנות התקופה.

בין הידיות אחת חלולה ועשויה בריקוע והאחרות ביציקה. על אף גודלן השונה, דומות הידיות היצוקות בסגנונן ובעיצובן. בחלקן העליון כפתור ושני קצותיהן מסתיימים בראש נחש מסוגנן. ידיות אלה אופייניות לפכים מוקדמים יותר, מן המאה הי״ג ממוצול.

חלקי קערות וקופסאות

40 גריפון מסוגנן ששימש כרגל — אחת משלוש — לקערת מתכת או לכלי קטורת.
ג 11

41 שתי רגלי קופסאות או קערות מרובעות. חלקה העליון של הרגל בצורת ציפור מסוגננת (תוכי?), חלקה המרכזי מזווה (באחת נשתמרו מסמרים בעלי ראש בולבוסי), וחלקה התחתון (נשתמר רק בחפץ אחד) — בצורת רגל בעל־חיים.
ג 20 (הרגל השלמה), 16 (הרגל השבורה)

42 ידית (?) לקערה או לכלי קטורת. לידית ראש בצורת דרקון
ג 13

43 מטבעות

ששה גושי מטבעות נחושת מהווים את החלק המעניין והחשוב של מטען הספינה הממלוכית. כמקובל, נטענו ונשלחו המטבעות בצרורות (בערבית ״צרה־צרר״), ארוזים במקלעת סיבי דקל. שרידי הסיבים הללו נותרו דבוקים אל אחד הגושים. בכל צרור היה, קרוב לוודאי, מספר קבוע של מטבעות.

כמה עשרות מטבעות נבדקו בידי מר אריאל ברמן. הוא הצליח להבחין עד כה בשלושים טיפוסים שונים, שתאריכיהם בעיקר מסוף המאה הי״ד ותחילת המאה הט״ו, רובם מימי הסולטאנים הממלוכיים נאצר אל־דין מוחמד (1309-1340), שעבאן השני (1363-1376), ברקוק (1382-1399) ובעיקר פרג׳ (1399-1412), ומיעוטם מימי הסולטאן העות׳מאני ביזיד הראשון (1389-1402) ושבטי התורכמנים שבחסות המונגולים באסיה הקטנה. המטבע המאוחר ביותר הוא משנת 1404. חלק מן המטבעות הוטבע טביעה משנית וחלקם כמעט שלא היה בשימוש.

בתקופה הממלוכית פעלו שש מיטבעות: קאהיר ואלכסנדריה במצרים, ודמשק, חאלב, טריפולי וחמה בסוריה. המטבעות במטען נטבעו כולם בסוריה.

הכתובות על המטבעות כתובות בכתב נסח׳י-ת׳ולות׳ בכמה שורות אופקיות. על פני המטבע מופיע הפרוטוקול המלכותי, הכולל את תוארי הסולטאן בנוסח מתומצת ביותר, ולעתים שם המיטבעה ותאריך ההנפקה.

בין הכתובות עיטורי ערבסקות ושריגים זעירים. הדגם האופייני לאמנות הממלוכית, הסמל ההראלדי, מופיע אף הוא, ובעיקר על מטבעות הנחושת מסוריה. ומטבעות שהונפקו במצרים היו מעוטרים לרוב בדגם אפיגרפי. סמלים אלה הופיעו על גב המטבע והיו לעתים מורכבים מכמה סמלים מצורפים.

המטבעות האלה, שאסימוניהם אי־רגולריים בצורתם ומעובדים ברישול, היו בעלי ערך נמוך ביותר בשוק. הם הונפקו בחפזון ובכמויות עצומות בגלל האינפלציה הכבדה. משבר מוניטארי קשה זה ראשיתו עם ראשית התקופה הממלוכית והוא בא בחלקו כתוצאה משינוי בסיס חישוב המטבע, שירשו הממלוכים מן האיובים.

בתקופה המוסלמית הקדומה היה דינר הזהב בסיס החישוב למטבעות ואליו התייחס מטבע הכסף, הדרהם. בתקופה הממלוכית כבר לא היה הדינר מטבע בעל ערך ומשקל קבועים, והדרהם תפס את מקומו כבסיס החישוב. מטבעות הנחושת, הפולוס, שבתקופה קדומה לא נחשבו כמטבעות רשמיים אלא בעלי ערך מקומי בלבד, הפכו עתה למטבעות רשמיים והושוו בערכם לדרהם. שיטה ערכית זו של כסף־נחושת לא החזיקה מעמד תחת השלטון הממלוכי, שסבל מאי שקט פוליטי וכלכלי.

במצב זה עלה מיום ליום ערכם של מטבעות הזהב, שנסחרו על־פי משקלם, ואילו מטבעות הכסף אזלו מן השוק. וכך היו מטבעות הנחושת כמעט המטבעות היחידים בשוק.

המצוקה הכלכלית והאינפלציה הדוהרת אילצו את הסולטאן פרג' לערוך שתי רפורמות מוניטריות. הראשונה, ב־1401, היתה מבוססת על בסיס חישוב לפי דינר הזהב, כפי שהיה בתקופות קדומות, ומשזו נכשלה הנהיג רפורמה נוספת בשנת 1407, שבה נקבע בסיס חישוב המטבע לפי מטבע הזהב הוונציאני.

האפשרות כי הספינה נשדדה ממטענה היקר — מטבעות הכסף והזהב — אינה נראית אפוא סבירה נוכח המצב המוניטארי שתואר לעיל וחסרונם של מטבעות אלה בשוק.

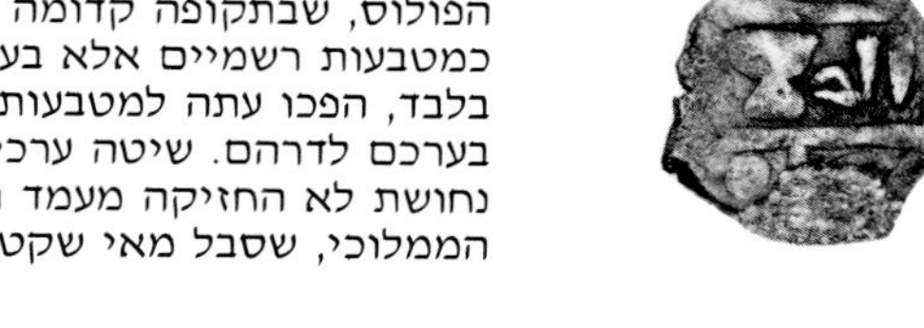

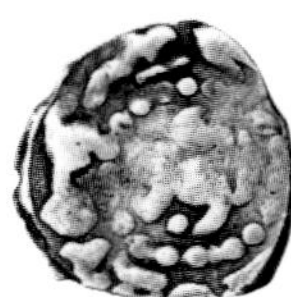

מטבעות סולטאניים, על חלקם סמל הראלדי
Coins issued by various sultans, some with heraldic emblems

צרור למטבעות עשוי מקלעת סיבי דקל
Coin container of woven palm fibres

ארכיאולוג בשעת רישום החפצים מתחת למים
Archaeologist recording objects underwater

1.7–**1**.1 מגוון מטילי עופרת
Selection of lead ingots

2 מטיל ״עור־הפר״ מנחושת, משמאל: מצרים נושאים מטילי מתכת על שכמם,
מתוך ציור־קיר מקבר אצילים בנא־אמון

Copper “ox-hide” ingot, left: Egyptians carrying metal ingots on their shoulders, from a wall painting in a nobleman’s tomb, Thebes

3.1 מטיל בדיל עגול
Circular tin ingot

3.2 מטיל בדיל חצוי במרכזו ובו חור
Tin ingot, split in the middle and perforated

3.3 מטילי בדיל חסרי צורה מוגדרת
Tin ingots of indeterminate shape

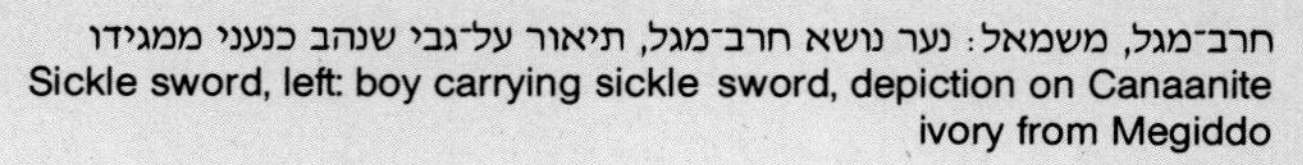

4 חרב־מגל, משמאל: נער נושא חרב־מגל, תיאור על־גבי שנהב כנעני ממגידו
Sickle sword, left: boy carrying sickle sword, depiction on Canaanite ivory from Megiddo

6 מתג הסוס ושחזורו
Horse-bit and reconstruction

7 עוגן אבן ועליו חריתה של צב־ים
Stone anchor incised with sea-turtle

שליית האמפורה מן הים בעזרת מצנח־הצפה
Hauling the amphora out of the sea with
the aid of a liftbag filled with air

האמפורה ותכולתה – כ־100 ק״ג ברונזה להתכה
The amphora and its contents: 100 kg of bronze before melting

30–24 כלי צורף, מקל כחל וקרס חכה
Smith's tools, kohl-stick and fish-hook

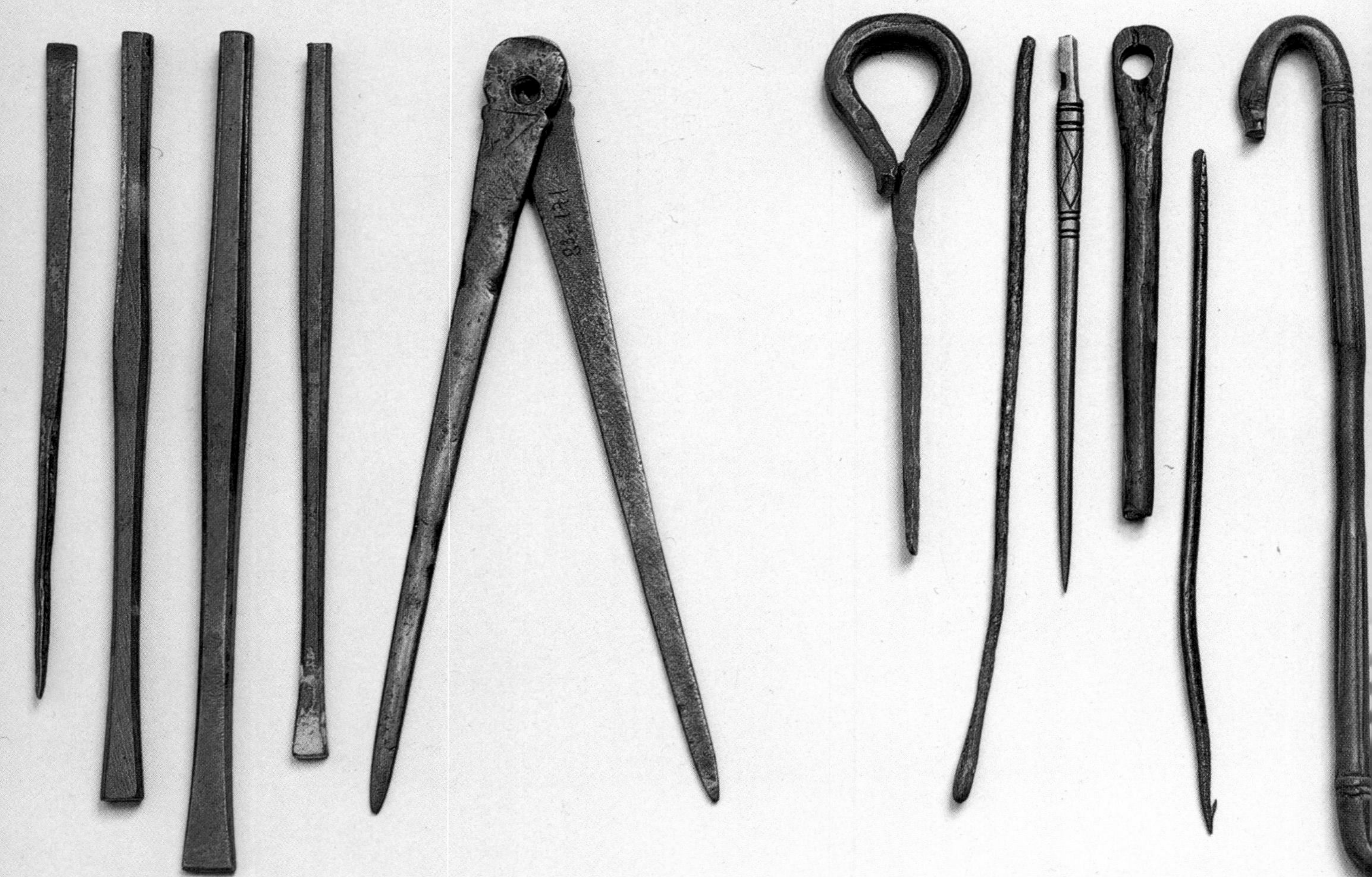

▷ **14 ,13** מסמרים ונעצים
Nails and tacks

21 פרט משבר ההמטיון הנראה למטה

Detail of the himation fragment reproduced below

21 שחזור שבר ההמטיון באדרת האשה

Reconstruction of himation fragment on woman's mantle

2.**14**, **18**, **26** נעצים, כף־מאזניים (?) ופרטי העטרה, כולם מברונזה מוזהבת

Tacks, scale-pan (?) and wreath fragments, all of gilded bronze

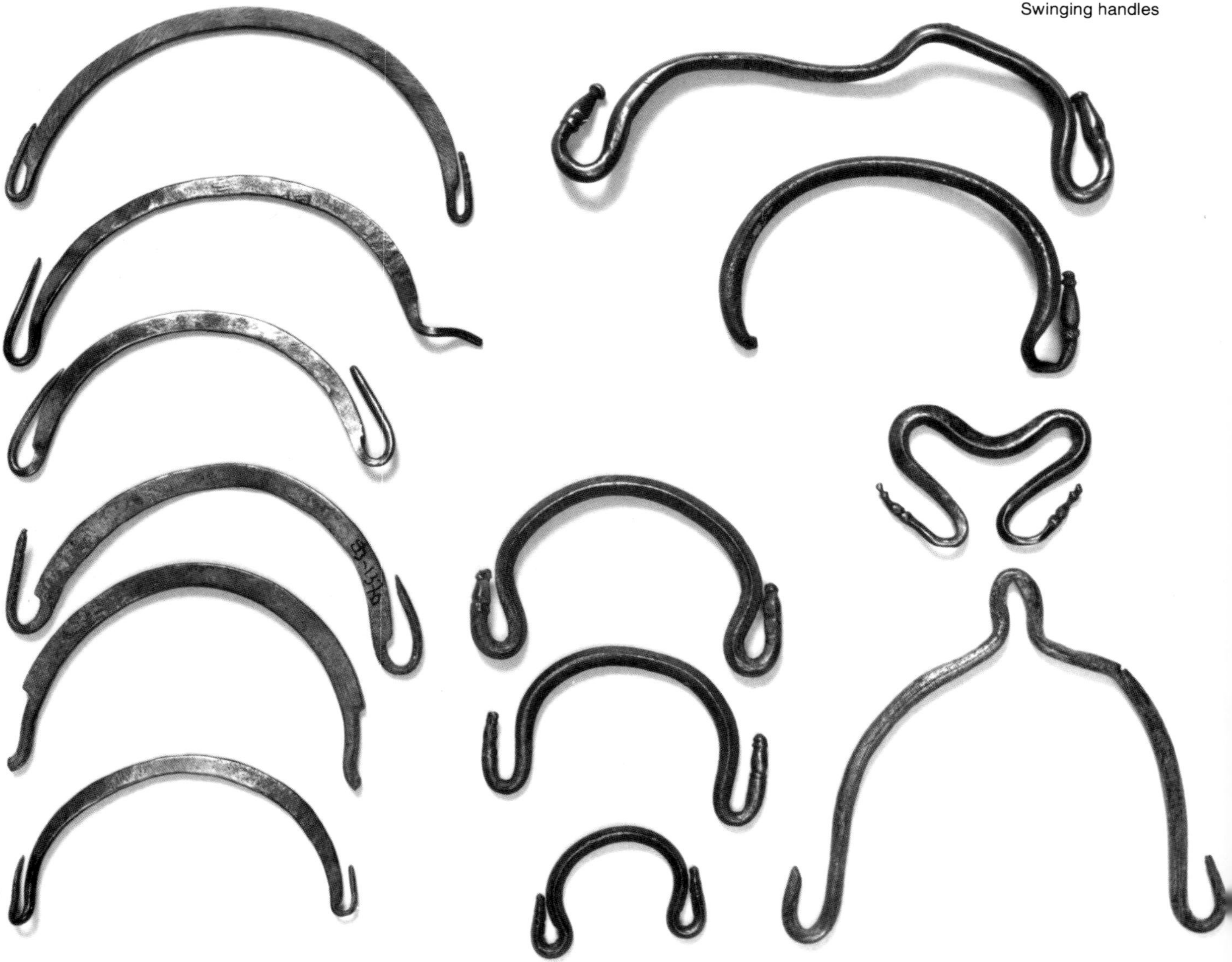

12 ידיות מיטלטלות
Swinging handles

15 מהדקים לאבני־בניין
Architectural clamps

16 מטילי ברונזה
Bronze ingots

19 לוחיות מלבניות מחוררות
Perforated rectangular plates

23 צמיד ומוטות שזורים, משמאל: ראשי חץ ״הלניסטיים״ (**11**)
Bracelet and rods of twisted wire, left: "Hellenistic" arrowheads (**11**)

22 מבחר צמידי צינוריות
Selection of circular bracelets

24 מוטות לצמידים ◁
Bracelet rods

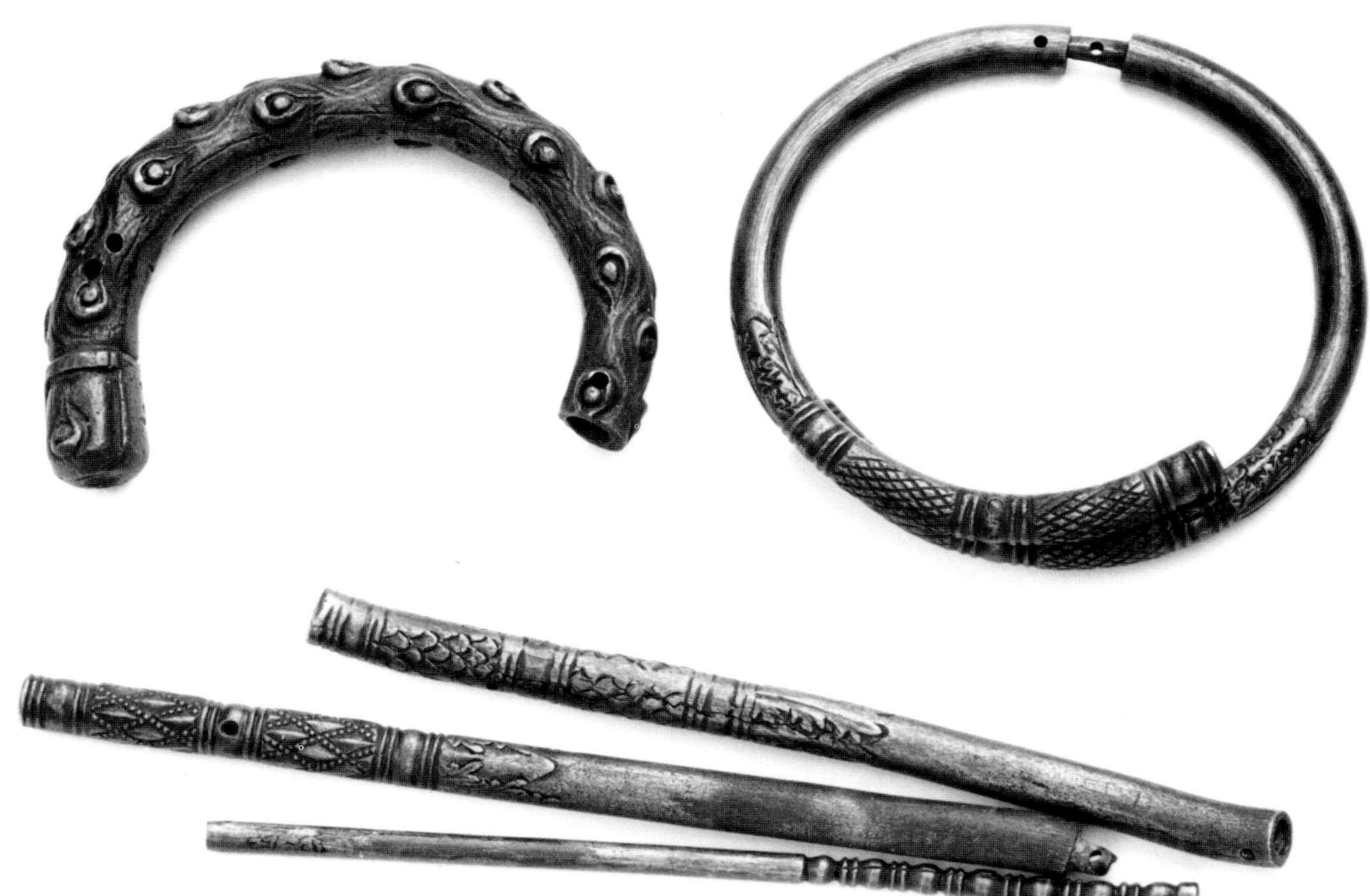

פסולת מתכת
Metal waste

שבר מכף רגל של פסל ברונזה בגודל טבעי
Foot fragment from lifesize bronze statue

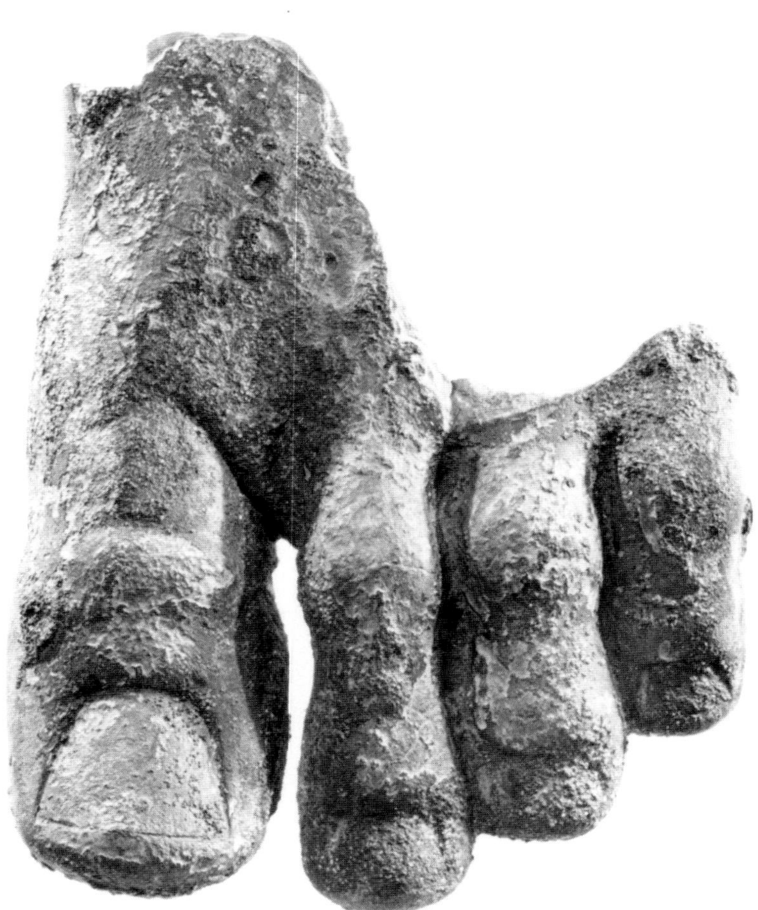

31 פמוטים
Candlesticks

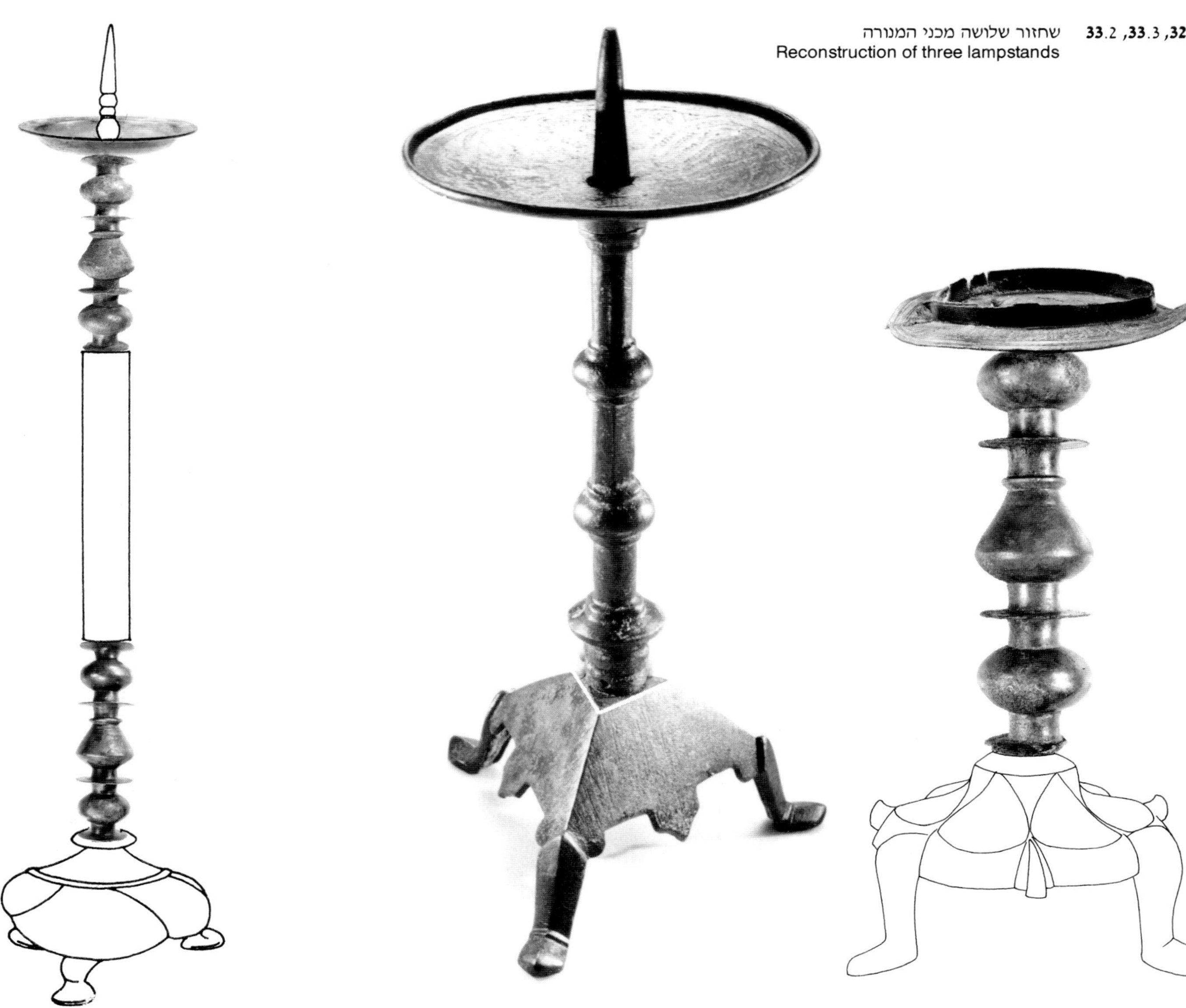

32, **33**.3 ,**33**.2 שחזור שלושה מכני המנורה
Reconstruction of three lampstands

34 מבחר קערות לאיסוף שעווה
Selection of bowls for collecting wax

מבחר מן החפצים הממלוכיים לאחר שנמשו מן הים
Selection of Mamluk objects after being hauled from the sea

34.2 קערה לאיסוף שעווה
A bowl for collecting wax

37.1 מקש לדלת
Door-knocker

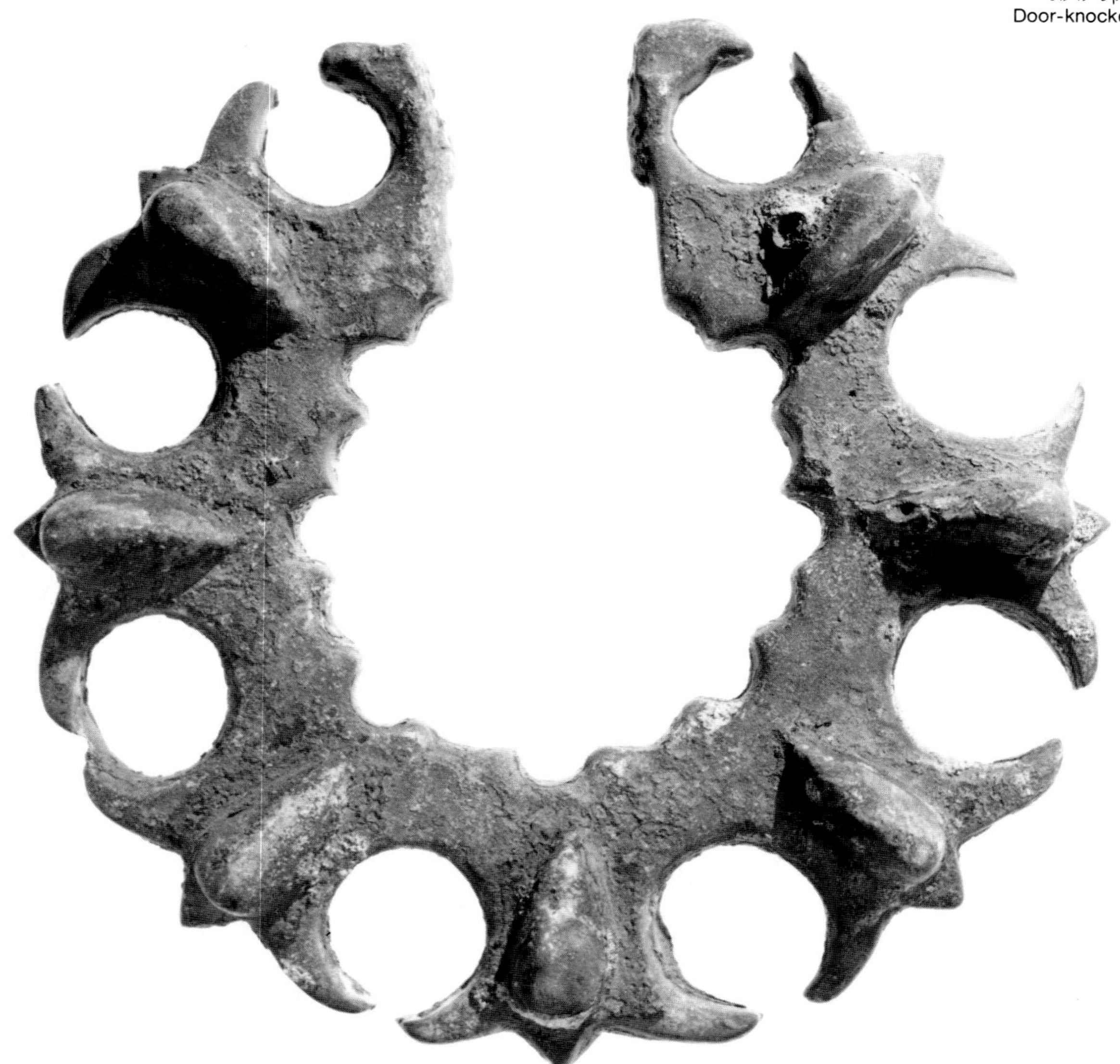

37 עיטורי דלתות מעשה סבכה
Openwork door decorations

38 עיטורי קופסאות מעשה סבכה
Openwork box decorations

39.3 הכד ופריסת העיטור שעל גוף הכלי
The jar and drawing of the decoration
on the central part of the vessel

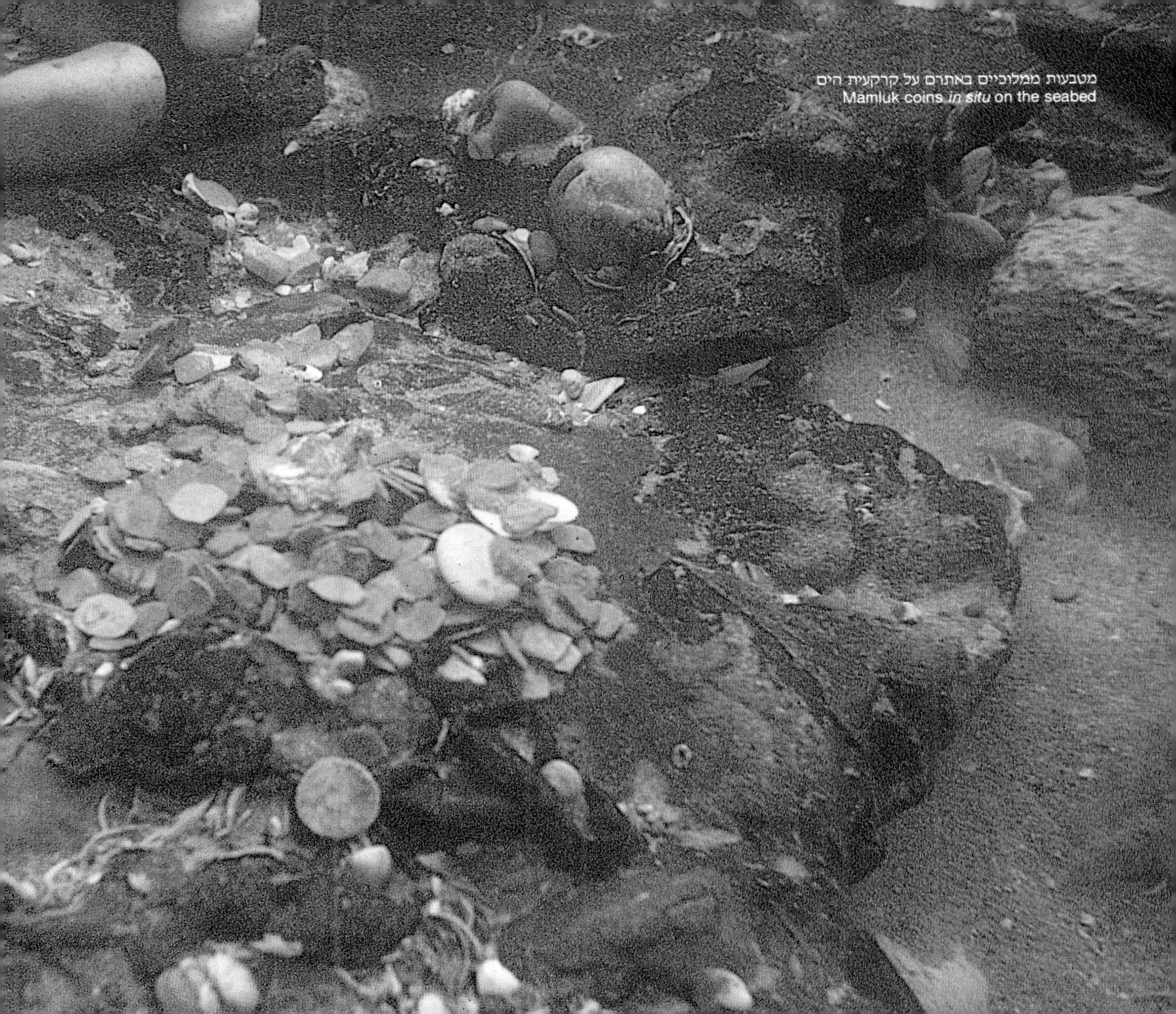

מטבעות ממלוכיים באתרם על קרקעית הים
Mamluk coins *in situ* on the seabed

43 גוש מטבעות
Block of coins